Geiriadur Termau Rheoli Coetiroedd

Dictionary of Terms for Woodland Management

Golygyddion/Editors

Dr Arne Pommerening
Mrs Delyth Prys

ISBN: 184 220 083 6

Uned e-Gymraeg
Canolfan Bedwyr
Heol Victoria
Bangor
Gwynedd LL57 2EN
e-bost: d.prys@bangor.ac.uk

http://www.bangor.ac.uk/ar/cb/cymraeg/

e-Welsh Unit
Canolfan Bedwyr
Victoria Drive
Bangor
Gwynedd LL57 2EN
e-mail: d.prys@bangor.ac.uk

Ysgol Gwyddorau Amaeth a Choedwigaeth
Prifysgol Cymru
Bangor
Gwynedd
LL57 2UW
e-bost: safs@bangor.ac.uk

http://www.safs.bangor.ac.uk/cymraeg/info.php

School of Agricultural & Forest Sciences
University of Wales
Bangor
Gwynedd
LL57 2UW
e-mail: safs@bangor.ac.uk

Comisiwn Coedwigaaeth Cymru
Rhodfa Fuddug
Aberystwyth
Ceredigion
SY23 2DQ
e-bost: fcwenquiries@forestry.gsi.gov.uk

http://www.forestry.gov.uk/cymru

Forestry Commission Wales
Victoria Terrace
Aberystwyth
Ceredigion
SY23 2DQ
e-mail: fcwenquiries@forestry.gsi.gov.uk

Cyhoeddwyd gan/*Published by*:
PRIFYSGOL CYMRU, BANGOR
UNIVERSITY OF WALES, BANGOR
2005

Argraffwyd gan Argraffdy Menai, Prifysgol Cymru, Bangor
Printed by Argraffdy Menai, University of Wales, Bangor

Geiriadur Termau Rheoli Coetiroedd

Dictionary of Terms for Woodland Management

Golygyddion/Editors

Dr Arne Pommerening
Mrs Delyth Prys

Cyhoeddwyd gyda nawdd TASCC (Grŵp Tasg Cyfrwng Cymraeg)
Prifysgol Cymru, Bangor, a Chomisiwn Coedwigaeth Cymru
Published with financial support TASCC (Welsh-medium Task Group),
University of Wales, Bangor, and Forestry Commission Wales

'Cenedl heb iaith, cenedl heb galon,' meddai'r hen ddihareb. Dyma oedd y man cychwyn wrth i ni feddwl am greu geiriadur termau rheoli coetiroedd yn haf 2002. Yn ôl fy arsylwi mae llawer o siaradwyr Cymraeg a dysgwyr ymysg coedwigwyr neu reolwyr coetiroedd Cymru. Ond wrth siarad gyda nhw am bethau technegol coedwigol mae llawer ohonynt yn troi i'r Saesneg oherwydd prinder termau technegol Cymraeg. Fel coedwigwr o'r cyfandir sydd yn arfer defnyddio iaith ei genedl mewn pob agwedd ar goedwigaeth methwn i ddeall hynny.

Er nad yw'n gryf mewn ystyr economaidd mae coedwigaeth yn chwarae rôl bwysig yng Nghymru mewn ffyrdd eraill: mae plannu coed yn gallu atal erydu a llifogydd, yn creu cynefinoedd i anifeiliaid prin, lleihau effaith niweidiol gwyntoedd cryfion, sugno deuocsid carbon, gwneud tirwedd Cymru yn harddach heb sôn am gynhyrchu pren, gwres, ynni a phapur. Mae pob un o'r ffactorau hyn yn bwysig i'n gwlad.

Ers i mi ddechrau ymwneud â choedwigwyr Cymru yn 2000 dysgais eu bod nhw i gyd yn frwd iawn. Mae yna rywbeth arbennig am fod yn goedwigwyr: maent yn newid y tirwedd a'r ecosystemau y maent yn gweithio ynddynt yn sylweddol, fel arfer i'r gorau. Ond mae gan y rhan fwyaf o rywogaethau coed ddisgwyliad oes llawer hirach na choedwigwyr. Dyma pam mae'n rhaid bod gan goedwigwyr weledigaeth a chalon arbennig: yn eu gwaith bob dydd maent yn mynd ati i wella ein byd trwy blannu a rheoli coed heb gael y cyfle i weld canlyniad terfynol eu hymdrechion. Mae rheolwyr coetiroedd yn gweithio ar gyfer cenedlaethau o Gymry i ddod a gwneud yn siŵr y gallant fwynhau tirwedd Cymru pan fyddwn ni wedi hen fynd.

Er mwyn cryfhau'r ethos proffesiynol hwn yng Nghymru aethom ati i arloesi geiriadur termau rheoli coetiroedd dros y tair blynedd diwethaf. Gobeithiwn y bydd y geiriadur hwn yn helpu i ddarparu'r iaith ar gyfer calon frwd coedwigwyr Cymru. Gwelwn y geiriadur hefyd fel rhan o'r ymdrech i normaleiddio'r iaith Gymraeg ym mhob agwedd o'n bywydau.

Dr Arne Pommerenning
Ysgol Gwyddorau Amaeth a Choedwigaeth
Prifysgol Cymru, Bangor
Gorffennaf 2005

PREFACE

'A nation without language is a nation without heart,' says the old Welsh proverb. This was the starting point when we thought of creating a dictionary of woodland management terms during the summer of 2002. According to my observations there are a number of Welsh speakers and learners amongst foresters and woodland managers in Wales. But when speaking of technical forestry matters a lot of them turn to English because of the lack of technical forestry terms in Welsh. As a forester from continental Europe who was used to speaking his native tongue to discuss every aspect of forestry, I found this incomprehensible.

Although it is not pre-eminent in an economic sense, forestry does play an important role in Wales in other ways: tree planting can prevent erosion and floods, create habitat for rare animals, mitigate the damaging effect of strong winds, sequester carbon dioxide, make the landscape of Wales more beautiful, as well as producing wood, heat, energy and paper. All of these factors are important to our country.

Since I began working with Welsh foresters in 2000 I learnt that they were all very enthusiastic. There is something special about being a forester: they substantially change the landscape and ecosystems they work with, usually for the better. But most tree species have a longer life expectancy than foresters. This is why foresters must have a special vision and heart: in their every day work they go about improving our world by planting and managing trees without the opportunity to see the final outcome of their labours. Woodland managers work for future Welsh generations and ensure that they will be able to enjoy the landscape of Wales after we have long gone.

In order to strengthen this professional ethos in Wales we set about developing this terminology dictionary for woodland management over the last three years. We hope that this dictionary will help provide the language for the enthusiastic heart of Welsh foresters. We also see this dictionary as part of the struggle to normalize Welsh in all aspects of our lives.

Dr Arne Pommerenning
School of Agricultural & Forest Sciences
University of Wales, Bangor
July 2005

Diolchiadau
Acknowledgments

Diolchwn i IUFRO (Undeb Rhyngwladol Cyrff Ymchwil Coedwigoedd) ac yn enwedig i'r Dr Martin Nieuwenhuis a Renate Prüller am roi rhestr geiriau a diffiniadau Saesneg cronfa ddata SilvaTerm i ni. Diolch hefyd i Coed Cadw am gael defnyddio eu rhestr hwythau o dermau a diffiniadau. Diolch o galon am gefnogaeth trwy olygu ein geiriadur i Ioan ap Dewi, Duncan Brown, Huw Denman, R John Edwards, Huw Evans, Rory Francis a Bill Linnard. Cynhyrchwyd y geiriadur hwn gyda nawdd oddi wrth TASCC (Grŵp Tasg Astudiaethau Cyfrwng Cymraeg) Prifysgol Cymru, Bangor a Chomisiwn Coedwigaeth Cymru.

Diolchwn ymlaen llaw i'n darllenwyr am unrhyw adborth er mwyn gwella ac ehangu'r argraffiad nesaf o'r geiriadur hwn.

We wish to thank IUFRO (International Union of Forest Research Organisations) and in particular Dr Martin Nieuwenhuis for providing us with their English word list and definitions from the SilvaTerm database. Our grateful thanks also go to the Woodland Trust for use of their terminology list and definitions. We would like to give our heartfelt thanks for their support in editing our dictionary to Ioan ap Dewi, Duncan Brown, Huw Denman, R John Edwards, Huw Evans, Rory Francis and Bill Linnard. This dictionary was produced with financial support from TASCC (Welsh-medium Studies Task Group), University of Wales, Bangor and Forestry Commission Wales.

We thank our readers before hand for any feedback in order to improve and expand the next edition of this dictionary.

Rhannau Ymadrodd a Byrfoddau / *Parts of Speech and Abbreviations*

adf – adferf /adverb
ans – ansoddair / adjective
be – berfenw / verb noun
eb - enw benywaidd / feminine noun
eg - enw gwrywaidd / masculine noun
eg/b - enw gwrywaidd neu fenywaidd / masculine/feminine noun
ell - enw lluosog / plural noun

Aus. Australia / Awstralia
Ca – Canada
de – Deutsch / Almaeneg
neol. – neologism / bathiad
NZ – New Zeland / Seland Newydd
silv. – silviculture / coedwriaeth
trans. – translation / cyfieithiad
UK – United Kingdom / y Deyrnas Unedig
USA – United States of America /Unol Daleithiau America

Saesneg - Cymraeg

English - Welsh

A

accessory product cynnyrch ategol *eg* Unrhyw gynnyrch a dynnir o goedwig yn ychwanegol at y prif gynnyrch y mae'r goedwig yn cael ei rheoli ar ei gyfer. *Cyfystyr(on)* **by-product; minor product; minor produce**

actual forest [trans.] gwir goedwig *eb* gwir goedwigoedd. Mae'r cysyniad Almaeneg gwreiddiol yn nodweddu coedwig, fel y'i cynrychiolir gan fesuriadau cyfeintiol ac adeileddol, a gymerwyd ar ddyddiad arolwg arbennig.

adaptive management rheoli addasol *be* Dull dynamig o reoli coedwig lle mae effeithiau triniaethau a phenderfyniadau yn cael eu monitro drwy'r amser, a'u defnyddio, ar y cyd â chanlyniadau ymchwil, i addasu'r rheoli yn gyson i sicrhau bod yr amcanion yn cael eu cyflawni.

advance planting blaenblannu *be* Plannu cyn dechrau cwympo ar gyfer aildyfu.

advance regeneration aildyfu cynnar *be* Y coed ifanc (neu goed sydd wedi'u hatal lawer) sy'n tyfu o dan gelli sydd yno eisoes cyn iddi gael ei chynaeafu. Os yw'r aildyfiant cynnar yn goroesi'r gwaith o dorri'r coed gall ffurfio rhan gyntaf celli newydd. Mewn rhai systemau coedwriaeth, y blaendwf yw'r ffurf drechol ar aildyfu sy'n cael ei ddefnyddio. *Cyfystyr(on)* **advance growth; advance reproduction**

aerial photo interpretation dehongli llun o'r awyr *be* Tynnu gwybodaeth am dir a llystyfiant (neu nodweddion eraill) o luniau a gymerir o'r awyr.

aerial photo triangulation triongli llun o'r awyr *be* Dull dadansoddol neu graffigol, yn defnyddio lluniau o'r awyr yn gorgyffwrdd, i leoli pwyntiau, y mae modd eu hadnabod yn y lluniau, yn eu safleoedd cywir ar fap mewn perthynas â'i gilydd.

aerial photo(graphic) survey arolwg lluniau o'r awyr *eg* arolygon lluniau o'r awyr. Defnyddio neu gynhyrchu lluniau o'r awyr fel rhan o'r broses stocrestru neu o gynnal arolwg. *Cyfystyr(on)* **aerial photo(graphic) inventory; aerial survey**

afforestation coedwigo *be* Sefydlu coedwig, celli o goed neu gnwd coed mewn ardal nad oedd wedi'i choedwigo o'r blaen, neu ar dir y mae gorchudd coedwig wedi bod yn absennol ohono ers amser maith.

age oed *eg* 1) Am goeden: y nifer o flynyddoedd sydd wedi mynd heibio ers i'r hedyn egino neu i'r sbrigyn neu'r sugnolyn gwraidd flaguro. 2) am goedwig, math o gelli neu goedwig, oed y coed sydd ynddi ar gyfartaledd: yn ymarferol, mewn coedwig unoed neu reolaidd, oed y coed trechol ar gyfartaledd wedi'i gymryd o'r flwyddyn pryd y ffurfiwyd y goedwig, h.y. heb gynnwys oed unrhyw stoc meithrinfa.

age class dosbarth oed *eg* dosbarthiadau oed. Unrhyw gyfwng y mae ystod oed coed, coedwigoedd, neu fathau o goedwigoedd wedi'i rannu iddo ar gyfer eu dosbarthu, e.e. dosbarthiadau oed 1, 5, 10 neu 20 mlynedd, fel y'i defnyddir mewn stocrestr neu reolaeth.

age class distribution dosraniad dosbarthiadau oed *eg* Arwynebedd a/neu gynrychioliad cyfrannol dosbarthiadau oed gwahanol mewn coedwig.

age class distribution table tabl dosraniad dosbarthiadau oed *eg* tablau dosraniad dosbarthiadau oed. Lleoliad a/neu gynrychioliad cyfrannol (yn ôl arwynebedd, stoc tyfu, cyfeintiau cynaeafu etc.) dosbarthiadau oed gwahanol mewn coedwig (wedi'i ddangos ar ffurf tabl).

age determination mesur oed *eg* Sefydlu oed coeden neu gnwd drwy gyfrif cylchoedd twf blynyddol (gan gymryd i ystyriaeth yr amser mae'n ei gymryd i'r goeden gyrraedd y taldra yn y cyff lle cafodd y cylchoedd eu cyfrif), neu drwy ddefnyddio cofnodion ar ei sefydlu.

agroforestry amaethgoedwigaeth *eb* Tyfu coed gyda chnydau amaethyddol a/neu anifeiliaid, mewn cyfuniadau rhyngweithiol. *Cyfystyr(on)* **agro-forestry**

alder buckthorn rhafnwydden wernaidd *eb* rhafnwydd gwernaidd *Frangula alnus*

Aleppo pine pinwydden Aleppo *eb* pinwydd Aleppo *Pinus halepensis*

allowable cut toriad a ganiateir *eg* toriadau a ganiateir. Maint y cynnyrch coedwig, sut bynnag mae'n cael ei fesur, y gellir ei dorri ar unrhyw adeg benodol, dan reolaeth cynnyrch cynaliadwy.

allowance lwfans *eg* lwfansau Gwyriad (plws neu finws) a ganiateir o ddimensiwn neu darged penodol.

alternate clear-strip felling llwyrgwympo stribedi eiledol *be*

Llwyrgwympo mewn stribedi am yn ail gyda stribedi heb eu cwympo; mae'r aildyfu fel arfer yn artiffisial; pan sefydlir cnwd ifanc ar y tir a gliriwyd, mae'r tir heb ei glirio yn cael lwyrgwympo a'i aildyfu; mae'r cnwd ifanc yn unoed ar bob set o stribedi. *Cyfystyr(on)* **alternate clear-strip cutting**

Altholz (de) Celli neu gnwd unoed sydd wedi mynd heibio 3/4 ei oed cylchdroi. *Cyfystyr(on)* **Altbestand**

analysis of annual rings dadansoddi cylchoedd blynyddol *be* Archwilio haenau gwahanredol y pren a ffurfir unwaith y flwyddyn, er mwyn pennu oed neu gynyddiad diamedr blynyddol. *Cyfystyr(on)* **tree ring analysis**

ancient woodland coetir hynafol *eg* coetiroedd hynafol. Coetir sydd wedi bod â dilyniant o orchudd coedwigol ers o leiaf 1600 OC yng Nghymru a Lloegr a 1750 OC yn Yr Alban. Fe all gynnal llawer o rywogaethau sydd ond i'w cael mewn coetir hynafol.

Anflug (de) Cyfnod ailsefydlu mewn aildyfu naturiol, yn deillio o had ysgafn e.e. sbriws.

Anhieb (de) Cwympiad i roi cychwyn ar gyfres gwympo newydd.

annual cut cynnyrch blynyddol *eg* Maint y cynnyrch coedwig sy'n cael ei amcangyfrif, ei ragnodi neu a geir mewn gwirionedd ar arwynebedd coedwig benodol mewn blwyddyn. *Cyfystyr(on)* **annual yield**

appraisal method dull gwerthuso *eg* dulliau gwerthuso. Y fethodoleg a ddefnyddir i werthuso gwerth ariannol neu ansawdd adnodd yn ei ffurf grai neu wneuthuredig.

area-wise felling cwympo ardal gyfan *be* Cwympo coed lle mae'r holl goed (marchnadadwy) mewn ardal yn cael eu cwympo.

arithmetic(al) mean diameter diamedr cymedrig rhifyddol *eg* diamedrau cymedrig rhifyddol. Cymedr rhifyddol pob mesuriad dbh mewn celli.

arithmetic(al) mean height uchder cymedrig rhifyddol *eg* Cymedr rhifyddol pob mesuriad uchder coed mewn celli.

arolla pine pinwydden arola *eb* pinwydd arola *Pinus cembra*

artificial regeneration aildyfu artiffisial *be* Creu celli neu gnwd coedwig drwy hadu neu blannu uniongyrchol, neu ddull artiffisial arall. Hefyd y cnwd a geir felly.
Cyfystyr(on) artificial reproduction

aspect agwedd *eb* Y cyfeiriad cwmpawd y mae llethr yn wynebu tuag ato.
Cyfystyr(on) direction of slope

aspen aethnen *eb* aethnenni *Populus tremula*

assessment asesiad *eg* asesiadau. 1) Yn gyffredinol, amcangyfrif ffurfiol maint a/neu ansawdd; 2) (economeg) y broses o amcangyfrif gwerth eiddo at ddiben trethiannol; 3) gweithdrefn a ddefnyddir gan gyrff tystysgrifo i bennu a yw arferion a gweithgareddau coedwig yn bodloni'r safonau tystysgrifo.

associated species rhywogaethau cysylltiedig *ell* Term torfol ar gyfer rhywogaethau ategol ac eilaidd.
Cyfystyr(on) associates

assortment table tabl cymysgeddau *eg* tablau cymysgeddau. Dadgyfunredeg tabl cyfeintiau lle mae'r ffigurau ar gyfer cyfanswm cynnwys ciwbig cyffion a weithiau pren brigau a rhisgl ar gyfartaledd yn cael ei gydrannu i gategorïau (cymysgeddau), gan mwyaf yn ôl maint, mewn perthynas gyffredinol i farchnadoedd.

assortment yield table tabl cynnyrch cymysgeddau *eg* tablau cynnyrch cymysgeddau. Tabl cynhyrchu sy'n cynnwys gwybodaeth am yr amrywiaeth boncyffion.

Atlas cedar cedrwydden Atlas *eb* cedrwydd Atlas *Cedrus atlantica*

Aufschlag (de) Cyfnod aildyfu wrth aildyfu'n naturiol, yn tarddu o had trwm, e.e. derw.

average (stand) height uchder cyfartalog (celli) *eg* Taldra coed ar gyfartaledd o arwynebedd gwaelodol mewn celli neu gnwd *Cyfystyr(on)* mean (stand) height

average growth tree [trans.] coeden twf cyfartalog *eb* coed twf cyfartalog. Coeden mewn celli sy'n cynrychioli'r cynyddiad cymedrig rhifyddol mewn cyfaint.

B

bark allowance lwfans rhisgl *eg* Didyniad mesuredig, confensiynol neu statudol, fel arfer fel canran o'r cyfaint dros y rhisgl, i gael amcangyfrif o gyfaint cyff o dan y rhisgl. Gyda mesuriadau diamedr neu gwmpas, gelwir y gwahaniaeth ar gyfer trwch rhisgl, h.y. y gwahaniaeth rhwng mesuriad o dan a thros y rhisgl fel arfer yn ddidyniad rhisgl. *Cyfystyr(on)* **bark deduction**

bark gauge medrydd rhisgl *eg* medryddion rhisgl. Offeryn ar gyfer mesur trwch y rhisgl.

basal area arwynebedd gwaelodol *eg* arwynebeddau gwaelodol. 1) Am goeden: arwynebedd (mewn metrau sgwâr) trawstoriad cyff, fel arfer ar uchder y frest; 2) am goedwig, celli neu fath o goedwig: arwynebedd (mewn metrau sgwâr yr hectar) trawstoriad o'r holl goed ar uchder y frest.

basal area regulation rheoleiddio arwynebedd gwaelodol *be* Dull o reoli a phennu'r maint o bren sydd i'w dorri yn flynyddol neu yn achlysurol yn ôl ei arwynebedd gwaelodol o'i gymharu a'r stoc tyfu a'i gynyddiad.

best management practices arferion rheoli gorau *ell* Cyfres o arferion coedwig ar gyfer math o goedwig neu ranbarth penodol, wedi'i chynllunio i atal neu leihau unrhyw effaith negyddol y byddai rheolaeth yn ei gael ar feysydd megis yr amgylchedd, y dirwedd, iechyd a diogelwch, etc.

Bestandesumwandlung (de) Y newid graddol yn y math o gelli, er mwyn amddiffyn y blaendwf.

Bestandeswertziffer (de) Mynegai, y gellir ei ddefnyddio i bennu gwerth celli, gan ddefnyddio dull a safonwyd.

bird cherry ceiriosen yr adar *eb* ceirios yr adar *Prunus padus*

black Italian poplar poplysen ddu groesryw *eb* poplys du croesryw *Populus x canadensis var. serotina*

black poplar poplysen Lombardi *eb* poplys Lombardi *Populus nigra*

blank bwlch *eg* bylchau. 1) Unrhyw ran o goedwig mewn cnwd neu gelli sydd wedi aros bron heb ei stocio, yn fwyaf arbennig mewn planhigfeydd, h.y. lle nad oes ond ychydig neu ddim coed addawol wedi ymsefydlu; 2) pwynt plannu lle mae'r goeden wedi methu tyfu neu lle nad oes coeden yno. *Cyfystyr(on)* **failure**

block bloc *eg* blociau. 1) Ardal goediog, yn aml yn cael ei ffinio gan nodweddion naturiol, sydd ag enw lleol adnabyddus, heb unrhyw arwyddocâd rheolaethol ac eithrio'r hwylustod i'w lleoli ac fel isadran diriogaethol o goedwig fawr; a elwir hefyd yn eiddo; 2) y rhan neu rannau o goedwig a osodir o'r neilltu i gael eu haildyfu neu eu trin mewn rhyw ffordd arall yn ystod cyfnod penodol.

boundary correction cywiro ffin *be* Addasu llinellau ffiniau ar fapiau i gyfrif am wallau neu sefyllfaoedd sydd wedi newid. *Cyfystyr(on)* **rectification of boundaries**

branchiness cangenogrwydd *eg* Disgrifiad (ansoddol) neu fanyleb am nifer a maint canghennau ar foncyff.

branchwood pren canghennau *eg* Pren neu fiomas a geir yng nghanghennau coeden.

breast height uchder y frest *eg* Taldra safonol, 1.30 m (4 troedfedd 3 modfedd) uwch lefel y ddaear, lle mesurir diamedr neu gwmpas coeden yn sefyll a lle ceir y mesuriad arwynebedd gwaelodol. Yn Unol Daleithiau America fel arfer defnyddir taldra safonol o 4 troedfedd 6 modfedd (1.37 m). Yn Seland Newydd pennir taldra safonol y frest yn 1.40 m uwch y ddaear ar yr ochr i fyny'r llethr, ond 1.30 m. yn Awstralia.

broadleaf llydanddail *ans* Coeden sydd â dail llydan yn hytrach na nodwyddau, ac sy'n cynhyrchu had mewn ffrwyth noddlawn neu gneuen galed ee. derwen, onnen.

broadleaved forest coedwig lydanddail *eb* coedwigoedd llydanddail. Coedwig sy'n cynnwys gan mwyaf goed llydanddail, pren caled angiosberm. *Cyfystyr(on)* **hardwood forest**

broadleaved tree coeden lydanddail *eb* coed llydanddail. Term confensiynol a ddefnyddir am goed a llwyni o'r grŵp botanegol Angiospermae (Dicotyledonau), yn cyferbynnu'n llac â'r Gymnospermae sydd (fel arfer) â dail fel nodwyddau; mae pren y ddau grŵp yn cael eu gwahaniaethu yn ôl confensiwn mewn masnach - y naill fel pren caled a'r llall fel pren meddal. *Cyfystyr(on)* **broadleaf tree; hardwood tree; angiosperm tree**

bryophytes bryoffytau *ell* Un o brif grwpiau byd y planhigion, sy'n cynnwys mwsoglau a llysiau'r iau.

business management rheoli busnes *be* Dull o gyfeirio menter goedwigaeth neu gorff coedwigaeth, o fewn fframwaith

datganiad cenhadaeth y corff a'i amcanion rheoli. *Cyfystyr(on)* **organisational management**

C

cable logging coedwigo gyda cheblau *be* Term llac am weithio unrhyw system sy'n ymwneud â chludo ar hyd, a/neu trwy gyfrwng ceblau (dur), neu yn fwy cyntefig, gwifrau sengl sefydlog, gyda'r llwyth wedi'i godi yn rhannol neu yn gyfan oddi ar y ddaear. *Cyfystyr(on)* **cable extraction**

cable system system geblau *eb* systemau ceblau. System alldynnu yn cynnwys twˆr, set o ddrymiau winsio, ffynhonnell pwˆer a phrif symudydd sy'n medru winsio boncyffion (i fyny neu i lawr gelltydd) wedi'u codi oddi ar y llawr yn rhannol neu yn gyfangwbl. *Cyfystyr(on)* **yarder; cableway**

cadastral map map y stent *eg* mapiau'r stent. Map (a chofrestr) yn dangos ffiniau lleoliad tir (coedwig) a pherchnogaeth tir, yn aml ynghyd â nodweddion topograffaidd a diwylliannol. *Cyfystyr(on)* **property map; cadastre**

cal(l)ipers caliperau *ell* Offeryn ar gyfer pennu diamedrau coed neu foncyffion, fel arfer drwy fesur eu hestyniad petryal ar riwl graddedig syth drwy ddwy fraich ar ongl sgwâr i'r riwl ei hun (ac un ohonynt yn llithro ar hyd-ddo).

canopy canopi *eg* canopïau. Y gorchudd mwy neu lai di-dor o ganghennau a dail a ffurfir ar y cyd gan bennau'r coed cyfagos a thyfiant coediog arall.

canopy density dwysedd canopi *eg* Cyflawnder canopi coed celli, a fynegir yn aml fel cyfernod degol, gan gymryd canopi caeedig fel uned.

carr gwern *eb* gwernydd. Coetir mewn lle gwlyb neu gorsiog, sy'n cynnwys coed gwern neu helyg fel arfer.

catchment area dalgylch *eg* dalgylchoedd. 1) Y rhanbarth cyfan sy'n draenio i ddyfrffordd, llyn neu gronfa (h.y. gwahanfa ddŵr); 2) y rhan o goedwig y gellir ei chyrraedd ar hyd ffordd benodol neu system drafnidiaeth arall; 3) yr ardal sy'n gwasanaethu canolfan alw, e.e. y rhan o goedwig sy'n cyflenwi gwaith prosesu coed; 4) yr ardal a wasanaethir gan ganolfan gyflenwi, e.e. y rhan lle mae ffyrdd y goedwig yn cael eu gwasanaethu gan bwll graean.

cedar of Lebanon cedrwydden Libanus *eb* cedrwydd Libanus *Cedrus libani*

certificate of origin tystysgrif tarddiad *eb* tystysgrifau tarddiad. Darpariaeth dogfennaeth yn rhoi tarddiad neu'r fan y daeth had neu stoc plannu ohoni.

certification tystysgrifo *be* Y broses o ddarparu dogfennaeth yn ardystio yn swyddogol i darddiad, ansawdd, arferion rheoli a dulliau cynhyrchu nwyddau a chynhyrchion, e.e. coed a gynhyrchir mewn coedwigoedd a reolir yn ôl egwyddorion cynaliadwyedd.

cleaning glanhau *be* Cwympo er mwyn gwella yn ystod y cyfnod dryslwyn, gyda'r nod o reoleiddio cyfansoddiad rhywogaethau, lefel stocio a sefydlogrwydd celli; fel arfer heb ddefnyddio'r coed a gwympwyd.

Cyfystyr(on) release; liberation; underscrubbing [NZ]

clear fell ban gwaharddiad llwyrgwympo *eg* gwaharddiadau llwyrgwympo. Gorchymyn ffurfiol neu awdurdodol sy'n gwahardd defnyddio llwyrgwympo fel techneg reoli. *Cyfystyr(on)* prohibition of clearcutting

clearcut area ardal wedi'i llwyrdorri *eb* ardaloedd wedi'u llwyrdorri. Ardal o dir coedwig y mae'r holl goed masnachadwy wedi cael eu cynaeafu ohono yn ddiweddar. *Cyfystyr(on)* clearfell area

clearcutting llwyrdorri *be* Cwympo bron y cyfan o'r coed mewn celli neu gnwd er mwyn eu cynaeafu, gyda'r canlyniad fod ardal llwyrdorri neu lwyrgwympo ar gyfer ailgoedwigo yn cael ei chreu. *Cyfystyr(on)* clearfelling

clearcutting system system llwyrdorri *eb* systemau llwyrdorri. System goedwrol lle caiff yr hen gnwd (unoed) ei glirio dros ardal sylweddol ar yr un amser; mae amlgnydio fel arfer yn artiffisial, ond mae ailgnydio weithiau yn bosibl drwy hadu o'r awyr, o gellïoedd cyfagos, neu o had a/neu flaendwf. *Cyfystyr(on)* clearfelling system; clearcutting method [Ca]

clearing llannerch *eb* llennyrch. Lle agored sylweddol, naill ai naturiol neu wedi'i greu, mewn celli coedwig.

cluster sampling samplu clystyrau *be* Cynllun samplu lle mae'r unedau samplu mewn grwpiau (h.y. clystyrau) cyfartal neu anghyfartal o ran maint, gyda'r holl elfennau yn y clystyrau yn cael eu mesur.

coast redwood cochwydden arfor *eb* cochwydd arfor. *Sequoia sempervirens*

commercial forest coedwig fasnachol *eb* coedwigoedd masnachol. Coedwig sy'n cael ei rheoli yn bennaf ar gyfer ei chynnyrch masnachadwy. *Cyfystyr(on)* production forest

commercial thinning teneuo masnachol *be* Unrhyw fath o deneuo sy'n cynhyrchu deunydd masnachadwy hyd at o leiaf werth costau uniongyrchol (ac weithiau anuniongyrchol) cynaeafu.

common alder gwernen (gyffredin) *eb* gwern (cyffredin) *Alnus glutinosa*

common ash onnen *eb* ynn *Fraxinus excelsior*

common beech ffawydden *eb* ffawydd *Fagus silvatica*

common black mulberry morwydden *eb* morwydd *Morus nigra*

common juniper merywen *eb* meryw *Juniperus communis*

common laburnum tresi aur *ell* *Laburnum anagyroides*

common lime pisgwydden *eb* pisgwydd *Tilia x europaea*

common pear gellygen *eb* gellyg *Pyrus communis*

common walnut coeden gnau Ffrengig *eb* coed cnau Ffrengig *Juglans regia*

common yew ywen *eb* yw *Taxus baccata*

common oak derwen (deilen) goesog *eb* derw (dail) coesog. *Quercus robur Cyfystyr(on)* pendunculate oak

community forest coedwig gymunedol *eb* coedwigoedd cymunedol. Lansiwyd menter 'Coedwigoedd i'r Gymuned' yn 1989 gan y Comisiwn Cefn Gwlad a Menter Coedwigaeth, i hybu'r weledigaeth o dirweddau coediog ar garreg drws trefi a dinasoedd, fel lleoedd ar gyfer gwaith a hamdden. Sefydlwyd deuddeg coedwig gymunedol yn Lloegr. Yn yr Alban cefnogir Menter Coedwigoedd Canolbarth yr Alban gan nifer o asiantaethau'r Llywodraeth ac fe'i harweinir gan Ymddiriedolaeth Cefn Gwlad Canolbarth yr Alban gyda nifer helaeth o bartneriaid cyhoeddus, preifat a gwirfoddol. Mae llawer o brosiectau coedwigaeth neu goetir a arweinir gan y gymuned yn bodoli ar draws yr Alban naill ai gyda pherchenogaeth lwyr y tir neu mewn partneriaeth â chyrff sy'n berchen ar dir megis y Woodland Trust Scotland.

compartment adran *eb* adrannau. Uned diriogaethol sylfaenol stad coedwig, wedi'i diffinio'n barhaol er mwyn lleoli, disgrifio a chofnodi, ac fel sylfaen ar gyfer rheoli coedwig; fel arfer isadran o floc. *Cyfystyr(on)* forest compartment

compartment boundary ffin adran *eb* ffiniau adran. Llinell derfyn y brif isadran yn y goedwig; dylai ddilyn nodweddion naturiol neu artiffisial.

compensatory planting plannu cydadferol *be* Creu planhigfeydd mewn un ardal er mwyn adfer, yn rhannol neu yn gyfan, golled stoc tyfu yn rhywle arall; hefyd planhigfa a grëir felly.

complete cultivation trin cyflawn *be*
Dull o baratoi'r pridd yn gorchuddio'r
holl ardal gynhyrchiol botensial.
Cyfystyr(on) full cultivation

complete enumeration rhifiad cyflawn
eg rhifiadau cyflawn. Mewn cnwd, celli
neu goedwig, mesuriad yr holl goed o un
rywogaeth neu'r coed i gyd, fel arfer
uwchlaw terfyn maint penodol, a'u
dosbarthiad yn ôl maint, cyflwr, etc.

conifer tree conwydden *eb* conwydd.
Ystod eang o rywogaethau coed o fewn y
Gymnospermae, sy'n nodweddiadol yn
fythwyrdd, yn cynhyrchu conau, ac sydd
â dail siâp nodwyddau neu gen. Gelwir
pren conwyddau yn bren meddal.
Cyfystyr(on) softwood tree; gymnosperm
tree

coniferous forest coedwig gonwydd *eb*
coedwigoedd conwydd. Coedwig sy'n
cynnwys gan mwyaf goed gymnosberm
conifferaidd.

connectivity cysylltedd *eg* Mesuriad o'r
graddau y mae amgylchiadau yn bodoli
neu y dylid eu darparu rhwng ardaloedd
neu glytiau coedwig gwahanol i sicrhau
cynefin ar gyfer magu, bwydo, neu
symud bywyd gwyllt a physgod o fewn
eu cylch cartref neu eu hardaloedd mudo.

continuous cover forest [trans.]
coedwig gorchudd di-dor *eb*
coedwigoedd gorchudd di-dor.
Ecosystem coedwig strwythuredig iawn a
reolir i gynnal gorchudd coed di-dor dros
holl ardal y goedwig.

continuous forest inventory stocrestr
coedwig ddi-dor *eb* stocrestri coedwig
ddi-dor. Stocrestr coedwig yn seiliedig ar
blotiau samplu parhaol, wedi'u dosbarthu
drwy'r uned rheoli coedwig, sy'n cael eu
mesur dro ar ôl tro ar adegau rheolaidd i
bennu cyfanswm cyfaint, twf a
disbyddiad.

**continuous forest inventory with
changing samples [trans.]** stocrestr
coedwig ddi-dor gyda samplau newidiol
eb stocrestri coedwig ddi-dor gyda
samplau newidiol. Trefn o samplu
achlysurol ailadroddus sy'n defnyddio
unedau samplu gwahanol bob tro.

**continuous forest inventory with
permanent samples [trans.]** stocrestr
coedwig ddi-dor gyda samplau parhaol
eb stocrestri coedwig ddi-dor gyda
samplau parhaol. Trefn samplu sy'n cael
ei hailadrodd o dro i dro gan ddefnyddio'r
un unedau samplu (h.y. unedau samplu
parhaol) bob tro.

control rheoli *be* Cymhariaeth ffurfiol o
bob gweithred a wnaed o fewn menter
goedwigaeth gyda'r rhai a ragnodwyd, er
mwyn hybu cyflawni amcanion y cynllun
rheoli. *Cyfystyr(on)* control of operations

control of forest production [trans.]
rheoli cynnyrch coedwig *be* Cymhariaeth
rhwng y cyfaint a gynaeafwyd mewn
gwirionedd a'r hyn a ragnodwyd yn y
cynllun rheoli.

control of mixture [trans.] rheoli
cymysgedd *be* Dylanwadu ar y gymhareb
cymysgedd rhywogaethau mewn celli
drwy gwympo coed unigol yn ystod
datblygiad celli.

control of operations rheoli
gweithrediadau *be* Monitro a chofnodi
(gan ddefnyddio dulliau safonol)
gweithrediad, cynnydd a chwblhad pob
gwaith rheoli, yn ôl lleoliad,

cynhyrchiant, amser a chostau.
Cyfystyr(on) **work tracking**

control of prescriptions [trans.]
rheolydd rhagnodiadau *eg* rheolyddion
rhagnodiadau. Cymhariaeth (flynyddol)
o'r hyn a wnaed mewn gwirionedd gyda'r
rhagnodiadau a osodwyd yn y cynllun
rheoli.

control plot llain reolydd *eb* lleiniau
rheolydd. Plot sampl sydd mor debyg ag
y mae modd i'r unedau arbrofol eraill
sydd i gael eu trin mewn rhyw ffordd.
Caiff lleiniau rheolydd eu gadael heb eu
trin er mwyn eu cymharu yn nes ymlaen
gyda'r rhai gafodd eu trin.

conversion trosiad *eg* trosiadau. Newid o
un system goedwrol/rheoli i un arall, e.e.
o lwyrgwympo i ddethol coed. Fe'i
defnyddir weithiau hefyd am newid o un
rhywogaeth neu glwstwr o rywogaethau i
un arall.

coppice prysgoedio *be* Ffurf
draddodiadol o reoli a oedd yn golygu
cadeirio, bôn-docio neu dorri coed
llydanddail yn agos at y ddaear. Byddai'r
goeden yn tyfu nifer o gyffion newydd, y
gellid eu torri eto mewn ychydig
flynyddoedd (3-35 fel rheol), gan
ddarparu felly gyflenwad di-baid o goed
– cylchred prysgoedio. Yn ôl pob tebyg
câi'r system hon ei defnyddio ym
Mhrydain mor bell yn ôl â'r cyfnod
Neolithig ac mae'n dal i gael ei
defnyddio heddiw mewn rhai ardaloedd.
Defnyddir y coed ar gyfer amrywiaeth
enfawr o ddibenion, o adeiladu i wneud
basgedi, i goed tân. Adwaenir y coed a
brysgoediwyd fel yr isdyfiant. Yn aml
gadewir i rai coed dyfu i'w llawn faint

rhwng y coed a brysgoediwyd – adwaenir
y rhain fel coed uchel.

coppice forest coedwig brysgoedio *eb*
coedwigoedd prysgoedio. Coetir sydd
wedi cael ei aildyfu o egin a ffurfir ar
gyffion coed y cnwd blaenorol, sugnolion
gwreiddiau, neu'r ddau, h.y., drwy
ddulliau llysieuol. Fel arfer fe'i tyfir ar
gylchdro byr er mwyn cael deunydd
bach, ond weithiau, e.e. gyda rhai
rhywogaethau ewcalypt, i faint
sylweddol. *Cyfystyr(on)* **sprout forest;
low forest**

coppice selection system system dethol
prysgoedio *eb* Dull prysgoedio lle dim
ond cyffion o faint gwerthadwy sy'n cael
eu torri bob tro, gan roi cellïoedd o oed
anwastad.

coppice shoot cyffyn prysgoedio *eg*
cyffion prysgoedio. Cyffyn yn codi o
flaguryn manteisiol wrth fôn planhigyn
coediog sydd wedi cael ei dorri yn agos
i'r ddaear. Yn achos sugnolyn, mae'r
cyffyn yn tyfu o wraidd y planhigyn.
Cyfystyr(on) **stool shoot; sucker; sprout**

coppice stool cadair *eb* cadeiriau. Bôn
coeden wedi'i chadeirio neu ei bôn-docio
lle mae cyffion newydd yn tyfu ohono
(gweler prysgoedio).

coppice with standards prysgoed gyda
choed uncyff *ell* prysgoedydd gyda
choed uncyff. Coedwig neu gelli yn
ffurfio prysgoed lle mae nifer o goed
uncyff, fel arfer a ddechreuodd fel
eginblanhigion, yn cael eu cadw ar
gylchdro hir er mwyn darparu deunydd
mawr. *Cyfystyr(on)* **coppice with reserves**

coppice with standards system
prysgoed gyda system coed uncyff *ell*

System coedwig yn cynnwys system prysgoedio lle mae cyffion dethol yn cael eu cadw, fel coed uncyff, bob tro mae coed yn cael eu cwympo, er mwyn ffurfio troshaen o oed anwastad sy'n cael ei symud yn ddetholus ar gylchdro sy'n lluosrif ar y cylchdro prysgoedio. *Cyfystyr(on)* **coppice-with-standards method [Ca];**

copse [UK] coedlan *eb* coedlannau. Ardal fechan o goed (ac isdyfiant), fel arfer yn cael ei hamgylchynu gan gaeau amaethyddol.

cork oak derwen gorc *eb* derw corc *Quercus suber*

corsican pine pinwydden Corsica *eb* pinwydd Corsica *Pinus nigra*

crab apple tree coeden afalau surion *eb* coed afalau surion *Malus silvestris*

crack willow helygen frau *eb* helyg brau *Salix fragilis*

creation of volume reserve [trans.] creu cronfeydd wrth gefn *be* Ffurfio cronfeydd o goed wrth gefn er mwyn sicrhau cyflenwad o bren ar gyfer cyfnodau o argyfwng a/neu ddiogelu arian wrth gefn.

criteria and indicators meini prawf a dangosyddion *ell* Ystyr maen prawf yw nodwedd, set o ofynion, neu broses, y gellir ei ddefnyddio i asesu arferion coedwigaeth (gynaliadwy). Mae maen prawf yn cynnwys nod i ymgyrraedd ato. Mae gwerthuso maen prawf yn dangos neu yn adlewyrchu'r cyflwr presennol yn ogystal â newidiadau yn ôl amser. Mae'n dangos (o ran maint ac ansawdd) pa mor dda mae maen prawf yn cyrraedd y targedi a osodwyd.

crown brigdyfiant *eg* brigdyfiannau. Canghennau (byw) a dail coeden.

crown class dosbarth brigdyfiant *eg* dosbarthiadau brigdyfiant. Unrhyw ddosbarth y mae coed sy'n ffurfio celli neu gnwd yn cael eu rhannu iddo mewn perthynas â'r canopi cyffredinol a brigdyfiant y coed cyfagos.

crown closure caead brigdyfiant *eg* Y graddau y mae'r gorchudd daear yn cael ei orchuddio gan frigdyfiant y coed yn ymestyn yn fertigol.

crown competition cystadleuaeth brigdyfiant *eb* Y galw am adnoddau, gan gynnwys lle a golau, gan frig y coed mewn celli.

crown cover cysgod brigdyfiant *eg* Ymestyniad llorweddol (ar y llawr) brigdyfiant neu ganopi coedwig. *Cyfystyr(on)* **canopy cover; cover**

crown form ffurf brigdyfiant *eb* ffurfiau brigdyfiant. Am goeden sy'n sefyll, siâp cyffredinol y brigdyfiant, sydd weithiau yn cael ei asesu'n feintiol fel cymhareb hyd y brigdyfiant i led y brigdyfiant.

crown layer haen brigdyfiant *eb* haenau brigdyfiant. Y lle (ar lefelau llorweddol gwahanol) sy'n cael ei lenwi gan bennau'r coed mewn celli. Bydd gan gelli aml-haen haen brigdyfiant yn gysylltiedig gyda phob lefel.

crown projection estyniad brigdyfiant *eg* estyniadau brigdyfiant. Cynrychioliad brigdyfiant drwy estyniad fertigol.

crown structure adeiledd brigdyfiant *eg* adeileddau brigdyfiant. Cyfansoddiad a threfniant gofodol brigdyfiant (a llwyni) unigol a brigdyfiannau gyda'i gilydd mewn celli.

crown thinning teneuo brigdyfiant *be* Math o deneuo sy'n ffafrio yn arbennig y cyffion mwyaf addawol (ac felly nid o reidrwydd y rhai trechol), gan ystyried hefyd eu dosbarthiad cytbwys dros y gelli, drwy symud o unrhyw ddosbarth canopi y coed hynny sy'n ymyrryd â hwy. *Cyfystyr(on)* free thinning [UK] [NZ]

crown width lled brigdyfiant *eg* Y pellter llorweddol rhwng dau eithaf pen coeden ar ochrau cyferbyniol y goeden. Yn aml cyfartaledd dau fesuriad diamedr neu bedwar radiws. *Cyfystyr(on)* crown breadth; crown diameter

cubic metres stacked metrau ciwbig pentwr *ell* Cyfaint pentwr o goed, gan gynnwys bylchau rhwng y pren.

cubic metres under bark metrau ciwbig dan y rhisgl *ell* Mesuriad cyfaint coed a gynaeafwyd heb gynnwys y rhisgl.

cubic metres over bark metrau ciwbig dros y rhisgl *ell* m³ (dros y rhisgl). Mesuriad cyfaint coed sy'n sefyll neu sydd wedi'u cynaeafu, gan gynnwys y rhisgl.

cull sbarion coed *ell* Coed neu foncyffion neu ddarnau o goed sydd wedi'u cwympo sydd o faint masnachadwy ond sydd wedi'u gwneud yn anfasnachadwy oherwydd brychau arnynt neu weithiau oherwydd difrod wrth eu torri. *Cyfystyr(on)* reject; cullwood

current annual increment cynyddiad blynyddol cyfredol *eg* cynyddiadau blynyddol cyfredol. Yn fanwl, cynyddiad coeden neu boblogaeth o goed mewn blwyddyn benodol mewn perthynas â newidyn penodol. Fel arfer fe'i cymerir fel y cynyddiad blynyddol cyfartalog dros gyfnod blaenorol byr, yn gywir y cynyddiad blynyddol cymedrig cyfnodol.

current increment cynyddiad cyfredol *eg* cynyddiadau cyfredol. Y cynnydd yng nghyfaint coeden neu gelli dros gyfnod: yn achos celli, mae'n cynnwys y cyfaint sy'n cael ei gynaeafu yn ystod y cyfnod hwn.

cutting area ardal dorri *eb* ardaloedd torri. Rhan neu rannau o goedwig lle mae gweithgareddau cwympo terfynol safle torri coed yn digwydd, neu wedi digwydd yn ddiweddar, ac a fydd yn cael ei hailgoedwigo wedi hynny. *Cyfystyr(on)* felling area; cutover; logging area; logging site

cutting budget cyllideb torri *eb* cyllidebau torri Rhestr, fel arfer yn dangos blaenoriaeth yr isadrannau, o ardaloedd a/neu gyfeintiau i gael eu torri, yn flynyddol neu yn ysbeidiol, mewn cylch gwaith. *Cyfystyr(on)* felling plan; harvest plan

cutting control rheolaeth torri *eb* Cymhariaeth cyfeintiau cynaeafu go iawn â'r rhai a gynlluniwyd, yn ôl maint ac ansawdd. *Cyfystyr(on)* felling control; yield control

cutting order gorchymyn torri *eg* gorchmynion torri. Trefn dorri cellïoedd o ran lleoliad ac amser. Mae'r drefn dorri yn cael ei threfnu mewn adrannau torri o

fewn cyfresi cwympo. *Cyfystyr(on)*
felling order

cutting section isadran torri *eb*
isadrannau torri. Isadran o gyfres
gwympo, a ffurfiwyd gyda'r amcan o
reoleiddio cwympo'r coed mewn rhyw
ffordd arbennig.

cutting sequence trefn torri *eb* Yr amser
(mewn blynyddoedd) rhwng
gweithgareddau cwympo olynol ar yr un
ffas cwympo. *Cyfystyr(on)* **felling
sequence**

cycle of tending operations cylch
gweithrediadau trin *eg* cylchoedd
gweithrediadau trin. Yr amser a
gynlluniwyd ac sy'n digwydd dro ar ôl
tro, rhwng gweithgareddau trin olynol yn
yr un cnwd neu gelli.

D

damage difrod *eg* 1) Effeithiau ecolegol
a ffisegol, dros dro neu barhaol, plâu
afiechydon, neu ffactorau biotig neu
afiotig eraill ar dwf, adeiledd a
chynhyrchiant coedwig. Y gostyngiad
neu'r amhariad dros dro neu barhaol yng
ngwerth ariannol, esthetig, neu ecolegol
coed mewn coedwig, neu briodoleddau a
swyddogaethau biotig neu afiotig y tirlun
coediog; 2) Gyda phren, unrhyw
nodwedd (p'un ai cynhenid e.e. cnotiau;
neu sy'n datblygu'n ddiweddarach, e.e.
pydredd, holltiadau, llifio gwael) sy'n
gostwng ei ddefnyddioldeb a/neu ei
werth masnachol ac a all felly arwain ar
ei ddiraddio i radd is, potensial defnydd
is neu i'w wrthod fel pren i'w ddifa.
Cyfystyr(on) **defect**

dawn redwood cochwydden gollddail
Tsieineaidd *eb* cochwydd gollddail
Tsieineaidd *Metasequoia
glyptostroboides*

dead trees coed marw *ell* Coed sydd
wedi marw, yn sefyll neu wedi disgyn,
fel rhan o gelli neu goedwig.

Deckungsschutz (de) Term Almaeneg
sy'n golygu cysgod ar gyfer celli, ym
mhrif gyfeiriad y gwynt, drwy gyfrwng
celli iau; dylai mwyafswm y gwahaniaeth
mewn uchder fod yn llai na 5 m.

deforestation datgoedwigo *be* Symud
coed am y tymor hir o safle coedwig er
mwyn caniatáu defnydd arall o'r safle.

demand for wood galw am bren *be* Y
berthynas weithredol rhwng y pris sy'n
cael ei dalu am bren a maint y galw
amdano.

demonstration forest coedwig
arddangos *eb* coedwigoedd arddangos.
Coedwig sy'n cael ei rheoli yn bennaf er
mwyn darparu cyfleoedd addysgiadol.
Cyfystyr(on) **instruction forest; training
forest**

dendrometer dendrofesurydd *eg*
dendrofesuryddion. Unrhyw offeryn sydd
wedi'i gynllunio ni fesur diamedr coeden
yn sefyll o'r llawr, er y gall rhai
dendrofesuryddion hefyd gael eu
defnyddio i fesur uchder coed. Mae
dendrofesurydd optegol yn defnyddio
optigau i chwyddo'r ddelwedd a gwella
cywirdeb mesur (e.e. telerelasgop).

deodar cedrwydden deodar *eb* cedrwydd
deodar *Cedrus deodara*

development phases of (natural) forests cyfnodau datblygu coedwigoedd (naturiol) *ell* Cyfnodau strwythurol a dynamig ecosystem goedwig (naturiol).

diameter at breast height diamedr ar uchder brest *eg* Diamedr cyff coeden o'i fesur ar uchder y frest.

diameter class dosbarth diamedrau *eg* dosbarthiadau diamedrau. Un o'r cyfyngau y mae ystod diamedrau cyffion coed neu foncyffion yn cael ei rannu ar gyfer eu dosbarthu a'u defnyddio. Hefyd y coed neu'r boncyffion sy'n dod o fewn cyfwng o'r fath.

diameter distribution dosbarthiad diamedrau *eg* dosbarthiadau diamedrau. Y dull y mae coed mewn celli yn cael eu dosbarthu dros ddosbarthiadau diamedrau.

diameter increment cynyddiad diamedr *eg* cynyddiadau diamedr. Cynnydd yn niamedr coed unigol neu gellïoedd o ganlyniad i ffurfiant cylchoedd twf blynyddol. *Cyfystyr(on)* diameter growth

diameter limit terfyn diamedr *eg* terfynau diamedr. 1) Lleiafswm diamedr ar uchder y frest lle mae coed yn cael eu hystyried yn addas ar gyfer eu mesur a'u dadansoddi; 2) y diamedr y mae'n rhaid i bob rhan o foncyff neu goeden gael ei defnyddio fel pren neu danwydd i lawr iddo (dan drwydded) .

direct haulage cludiant uniongyrchol *eg* Cludiant coed lle mae'r coed yn cael eu llwytho ar i ddull cludiant eilaidd (e.e. tryciau) ar ochr y ffordd neu lwyfan llwytho ac yn cael eu cludo'n uniongyrchol at y proseswr.

dominant crop cnwd trechol *eg* cnydau trechol. Planhigyn neu grŵp o blanhigion sydd oherwydd eu maint, mas neu nifer gyda'i gilydd yn cymryd y mwyaf o le ac yn dylanwadu fwyaf ar gydrannau eraill ecosystem.

dominated crop cnwd eilaidd *eg* cnydau eilaidd. Yn cynnwys y coed yn y dosbarthiadau brig coed is. *Cyfystyr(on)* secondary crop

Douglas fir ffynidwydden Douglas *eb* ffynidwydd Douglas *Pseudotsuga menziesii*

downy birch bedwen gyffredin *eb* bedw gyffredin *Betula pubescens*

draft plan cynllun drafft *eg* cynlluniau drafft. Amlinelliad rhagarweiniol ar gyfer cynllun rheoli, gan gymryd i ystyriaeth statws y cynllun cyfredol ac amcanion y cynllun newydd.

Dunkelschlag (de) Cwympiad aildyfiad cyntaf mewn systemau coed cysgodol wedi'i anelu at agor a darparu golau i'r gelli.

E

earth road ffordd bridd *eb* ffyrdd pridd. Ffordd a ffurfiwyd o ddeunydd israddol, heb haen wyneb ychwanegol. *Cyfystyr(on)* dirt road; unpaved road; gravel road

Eckbaum (de) Coeden sydd wedi'i lleoli yng nghŵr adran, sy'n cario rhif adnabod yr adran.

economic maturity aeddfedrwydd economaidd *eg* Am goeden, cnwd neu gelli (sy'n agos iawn at yr un oed), yr oed y byddai mynd y tu hwnt iddo yn golygu cynnydd annigonol mewn gwerth i ennill cyfradd benodol o log. *Cyfystyr(on)* **financial maturity [USA]**

ecosystem management rheoli ecosystem *be* Rheoli sy'n cael ei arwain gan y monitro ar y rhyngweithio a'r prosesau ecolegol sy'n angenrheidiol i gynnal yr elfennau sy'n rhan o'r ecosystem, ei hadeiledd a'i swyddogaeth dros y tymor hir. *Cyfystyr(on)* **ecosystem-based management (of natural resources)**

edaphic edaffig *ans* 1) yn perthyn i'r pridd; 2) wedi'i gynhyrchu neu ei ddylanwadu gan y pridd.

edge effect effaith cyrion *eb* Cyflwr neu gynefin amgylcheddol wedi'i addasu ar hyd ymylon (cyrion) cellïoedd coed neu goedwigoedd.

edge protection gwarchod cyrion *be* Creu ymyl coedwig sy'n amrywio o ran lled er mwyn amddiffyn y tu mewn i'r gelli rhag effeithiau tywydd, yn dibynnu ar ei adeiledd a/neu frigau isel coed yr ymylon.

effective age oed effeithiol *eg* Y cyfnod ers i goeden gael ei rhyddhau.

Einleitungsbesprechung (de) Trafodaeth rhwng perchennog a choedwigwr ynghylch y strategaeth sydd i'w mabwysiadu wrth lunio cynllun rheoli.

elder ysgawen *eb* ysgaw *Sambucus nigra*

elite stand celli ddethol *eb* cellïoedd dethol. Celli sydd wedi cael ei dangos drwy brofi i fod yn alluog i gynhyrchu epil gyda gwell rhagoriaethau yn gyson ac sydd felly yn cynnwys genoteipiau rhagorach. *Cyfystyr(on)* **selected stand; selected crop**

elite tree coeden ddethol *eb* coed dethol. Un sydd wedi cael ei dangos drwy brofi i fod yn alluog i gynhyrchu epil gyda gwell rhagoriaethau (h.y. rhai mwy dymunol) ac sydd felly o genoteip rhagorach. *Cyfystyr(on)* **champion tree; frame tree**

English elm llwyfen *eb* llwyfenni *Ulmus procera*

enrichment planting plannu cyfoethogol *be* Gwella cyfartaledd y rhywogaethau neu genoteipiau dymunol neu gynyddu bioamrywiaeth coedwig drwy ryngblannu. *Cyfystyr(on)* **reinforcement planting**

enumeration rhifiad *eg* rhifiadau. Mewn coedwig, cyfrifir cyffion un neu fwy nag un rhywogaeth, fel arfer uwchlaw terfyn maint penodol, a'u dosbarthu yn ôl maint, cyflwr, etc. *Cyfystyr(on)* **tally**

ertragsgeschichtliche Nutzung (de) Cyfeintiau cynaeafu o uned cynhyrchiant parhaus, wedi'i ddogfennu ar gyfer o leiaf hanner hyd y cylchdro.

establishment sefydlu *be* Datblygu cnwd newydd, yn naturiol neu gyda chymorth, i gyfnod (h.y. cyfnod cyn-ddryslwyn) lle mae'r aildyfiant ifanc, naturiol neu artiffisial, yn cael ei ystyried i fod yn ddiogel rhag dylanwadau croes megis rhew, sychdwr, neu chwyn, ac nad yw angen amddiffyn arbennig neu orchwylion trin ac eithrio glanhau, teneuo a thocio. Hefyd y cnwd yn y cyfnod hwn yn ei ddatblygiad.

establishment (of a stand) sefydlu (celli) *be* Y broses o ddatblygu celli i'r cyfnod (h.y. cyfnod cyn-dryslwyn) lle gellir ystyried bod y coed ifanc wedi'u sefydlu, h.y. eu bod yn ddiogel rhag dylanwadau drwg arferol (e.e. rhew, sychdwr, chwyn neu bori), ac nad oes angen gofal arbennig arnynt mwyach, dim ond y glanhau, teneuo a'r tocio arferol. *Cyfystyr(on)* **stand establishment; crop establishment**

establishment period cyfnod sefydlu *eg* cyfnodau sefydlu. Yr amser sy'n mynd heibio rhwng cychwyn cnwd newydd ac iddo ymsefydlu'n llwyddiannus.

European fan palm palmwydden wyntyll *eb* palmwydd gwyntyll *Chamaerops humilis Cyfystyr(on)* **dwarf fan palm**

European larch llarwydden Ewropeaidd *eb* llarwydd Ewropeaidd *Larix decidua*

European white elm llwyfen wen *eb* llwyfenni gwynion *Ulmus laevis*

even-aged management rheoli coed unoed *be* Dilyniant o driniaethau wedi'i gynllunio er mwyn cynaeafu, ailfywio a chynnal (celli) coedwig sy'n cynnwys cellïoedd i gyd o un dosbarth oed.

even-aged stand celli unoed *eb* cellïoedd unoed. Math o gelli neu goedwig, lle nad oes gwahaniaethau rhwng coed unigol o'i mewn, neu lle maent yn wahaniaethau cymharol fach, fel arfer llai na 20% o hyd y cylchdro.

experimental site safle arbrofol *eg* safleoedd arbrofol. Ardal sydd wedi'i gosod allan (mewn lleiniau) i bennu effeithiau dulliau gwahanol o'i thrin. *Cyfystyr(on)* **experimental area; trial site area**

exploitable ecsbloetadwy *ans* 1) Am goed neu gnydau: am faint, cyflwr neu ansawdd sy'n cyfiawnhau eu defnyddio; 2) am foncyff neu goesyn: y rhannau sy'n medru cael eu trosi i'w defnyddio, er nad o reidrwydd rhai masnachadwy. *Cyfystyr(on)* **mature**

exploitation ecsbloetiaeth *eb* Y defnydd difäol o adnoddau coedwig er mwyn rhoi budd naill ai'n unigol neu i amrediad ehangach o unigolion. Yn fwy diweddar, mewn ystyr ddifrïol, golyga gymryd cynnyrch o'r goedwig heb boeni am egwyddor cynaliadwyedd.

exploitation management rheolaeth ecsbloetio *eb* Rheoli sy'n canolbwyntio ar gymryd cynnyrch coedwig a'i ddefnyddio i gael adenillion o'r farchnad ar unwaith a'r elw mwyaf posibl, heb boeni llawer am gynaliadwyedd, coedwriaeth nac ystyriaethau eraill am y goedwig weddilliol. *Cyfystyr(on)* **high grading**

extraction alldynnu *be* Y cyfnod wrth gynaeafu lle mae coed cyfan wedi'u cwympo, boncyffion neu gyffion, yn cael eu symud i brif bwynt dosbarthu neu un parhaol, naill ai i'w cludo ymhellach, neu ar gyfer gweithgynhyrchu pellach (h.y. trosi eilaidd) neu'r ddau.

extraction damage difrod alldynnu *eg* Difrod, sy'n digwydd yn ystod gweithredoedd alldynnu, i'r llystyfiant, pridd neu'r dŵr sydd ar ôl.

extraction distance pellter alldynnu *eg* (Cyfartaledd) y pellter y mae coed sydd wedi'u cwympo yn cael eu symud er mwyn cyrraedd prif bwynt dosbarthu neu un parhaol (e.e. ochr y ffordd, llwyfan llwytho).

extraction rack trac alldynnu *eg* traciau alldynnu. Tracffordd drwy gelli neu gnwd y mae coed yn cael ei symud i brif bwynt dosbarthu neu un parhaol, megis llwyfan llwytho neu ochr ffordd.
Cyfystyr(on) extraction road; extraction line; skid road; skid trail

extraordinary felling cwympo coed anghyffredin *be* Unrhyw gwympo nad yw'n cael ei reoli gan y rhagnodau coedwriaethol neu lystyfiannol eraill ar gynllun gwaith neu reoli, e.e. cwympo coed er mwyn adeiladu ffordd.
Cyfystyr(on) extraordinary harvest

F

Fachwerksmethoden (de) Systemau rheoli coedwig hanesyddol o'r bedwaredd ganrif ar bymtheg, gyda'r nod o gynhyrchu coed mewn dull cynaliadwy, fesul ardal a/neu gyfaint. Mae'r term yn cyfeirio at y dulliau reoli ardal, cyfaint ac ardal/cyfaint. *Cyfystyr(on)* yield regulation methods [trans.]

farm forestry coedwigaeth fferm *eb* Yr arfer o gynnal coedwigaeth ar diroedd fferm, fel rheol wedi'i integreiddio gyda gweithgareddau eraill y fferm.

felling age oed cwympo *eg* Oed celli (neu goeden unigol) adeg ei chwympo.

Cyfystyr(on) exploitation age; rotation age

felling area ardal gwympo *eb* ardaloedd cwympo. Y rhan o dir coedwig lle mae'r holl goed masnachadwy oedd ar ôl wedi cael eu cynaeafu'n ddiweddar, wrthi'n cael eu cynaeafu neu y mae cynllun i'w cynaeafu.

felling cycle cylch cwympo *eg* cylchoedd cwympo. Ar gyfer cnwd, celli, neu uned reoli arall, y cyfnod amser sydd wedi'i gynllunio ac sy'n cael ei ailadrodd rhwng pob toriad neu weithrediadau cynaeafu yn yr un lleoliad. *Cyfystyr(on)* cutting cycle

felling direction cyfeiriad cwympo *eg* Cyfeiriad daearyddol, neu'r cyfeiriad mewn perthynas â phrif gyfeiriad y gwynt, y mae'r ffrynt cwympo yn ei ddilyn yn ystod gweithgaredd cwympo. Hefyd cyfeiriad torri'r coed.

felling face wyneb (y) cwympo *eg* Llinell flaen y coed sy'n sefyll yn union yn llwybr gorchwyl gwympo sy'n mynd yn ei blaen. *Cyfystyr(on)* felling front

felling of wolf trees cwympo coed aflêr *be* 1) Symud coed aflêr er mwyn darparu lle ar gyfer cymdogion a allai fod yn well; 2) yn fwy cyffredinol, rhyddhau coed ifanc, heb fod heibio'r cyfnod glasbrennau, rhag cystadleuaeth gan goed sy'n uwch na hwy. *Cyfystyr(on)* liberation felling

felling season tymor cwympo *eg* tymhorau cwympo. Y cyfnod yn ystod y flwyddyn pryd mae cwympo coed wedi'i amserlennu neu yn digwydd. *Cyfystyr(on)* cutting season

felling series cyfres gwympo *eb* cyfresi cwympo. Ardal neu ardaloedd sydd wedi'u diffinio'n weinyddol o fewn coedwig yn cael eu hamffinio fel uned gynaeafu cynnyrch cynaliadwy at ddibenion rheoli ac sy'n ffurfio rhan neu'r cyfan o gylch gweithio; gyda'r amcanion o (a) dosbarthu gweithgareddau cwympo ac aildyfu i weddu i amgylchiadau lleol gweinyddiaeth a marchnadoedd, (b) cynnal neu greu dosbarthiad addas o ddosbarthiadau oed.

felling volume cyfaint cwympo *eg* cyfeintiau cwympo. Cyfaint pren sy'n ganlyniad i orchwyl gwympo, o bosib wedi'i gwahanu yn ddetholiadau a rhywogaethau. *Cyfystyr(on)* **felling yield; volume of timber felled**

field layer haen y glaswellt *eb* haenau'r glaswellt. Haen o blanhigion llysieuol amhrennaidd bychain ee. clychau'r gog, cennin Pedr, rhedyn.

field maple masarnen fach *eb* masarn bach *Acer campestre*

filler coeden lanw *eb* coed llanw. 1) Coeden neu rywogaeth sy'n is ei gwerth, ac a ddefnyddir i lanw bylchau wrth aildyfu ac i gyflymu cau'r canopi ond sy'n cael ei thynnu oddi yno yn nes ymlaen yn y cylchdro. 2) Coeden neu rywogaeth is ei gwerth, a gedwir wrth deneuo neu lanhau, am nad oes un well ar gael.

final crop cnwd terfynol *eg* cnydau terfynol. Y rhan o'r stoc twf sydd i'w chadw hyd aeddfedrwydd.

final crop tree coeden cnwd terfynol *eb* coed cnwd terfynol. Mewn celli neu gnwd, coeden sy'n cael ei dewis (a'i marcio) oherwydd ei safle o fewn y canopi, cyflwr ei iechyd a/neu ansawdd, i ffurfio rhan o'r cnwd terfynol, h.y. nad yw'n cael ei dorri yn ystod y teneuo. *Cyfystyr(on)* **future tree; crop tree; frame tree**

final cutting toriad terfynol *eg* toriadau terfynol. Yr olaf mewn cyfres o doriadau aildyfu cynyddol sy'n symud yr olaf o'r had gwreiddiol a/neu goed cysgodol pan fydd yr aildyfu yn cael ei ystyried i fod wedi'i sefydlu. *Cyfystyr(on)* **final felling**

final mean annual increment cynyddiad blynyddol crynswth terfynol *eg* cynyddiadau blynyddol crynswth terfynol. Y cynyddiad blynyddol cymedrig net neu grynswth o'i gyfrifo dros gylchdro llawn. Ar gyfer cellïoedd sydd heb eto gyrraedd oed cylchdro gellir cael hyd i'w gwerth mewn tablau cynhyrchiant. *Cyfystyr(on)* **average yield class**

final yield cynnyrch terfynol *eg* Yr holl ddeunydd, sy'n cyfrif yn erbyn y prif gynhyrchiant, a geir o'r prif gwympiadau. *Cyfystyr(on)* **yield of final crop**

final yield cynnyrch terfynol *eg* Cyfaint pren sydd wedi'i gynllunio mewn prif gwympiadau mewn systemau rheoli coedwig uchel lle mae cwympo ac aildyfu yn cael eu canolbwyntio ar ran o arwynebedd y goedwig yn unig mewn unrhyw un cyfnod. *Cyfystyr(on)* **prescribed final yield**

final yield area ardal cynnyrch terfynol *eb* ardaloedd cynnyrch terfynol. Yr arwynebedd sy'n cael ei gyfrifo wrth reoli cynhyrchiant mewn systemau rheoli coedwig uchel lle mae cwympo ac aildyfu yn cael eu canolbwyntio ar ran o arwynebedd y goedwig yn unig. *Cyfystyr(on)* regeneration area

financial plan cynllun ariannol *eg* cynlluniau ariannol. Rhan o'r cynllun rheoli cyffredinol sy'n delio gydag agweddau ariannol sefydliad coedwig.

financial returns from final felling adenillion ariannol o'r cwympiad terfynol *ell* Yr incwm sy'n cael ei greu o werthu coed a gynhyrchir mewn cwympiadau terfynol a ragnodwyd.

financial returns from thinnings adenillion ariannol o deneuo coed *ell* Yr incwm sy'n cael ei gynhyrchu o werthu coed a gynhyrchwyd mewn cwympiadau teneuo neu ganolraddol. *Cyfystyr(on)* intermediate yields

financial rotation cylchdro ariannol *eg* cylchdroeon ariannol. Cylchdro sy'n cael ei bennu gan ystyriaethau ariannol, e.e. yr un sy'n cynhyrchu'r gyfradd fwyaf o adenillion, y rhent pridd uchaf, y gwerth mwyaf a ddisgwylir am y tir.

financial value gwerth ariannol *eg* Gwerth gwrthrych neu wasanaeth, o'i fynegi mewn termau ariannol. *Cyfystyr(on)* monetary value

fire break brêc rhag tân *eg* breciau rhag tân. Rhwystr sydd yno eisoes, p'un ai un naturiol neu fel arall, neu un sy'n cael ei baratoi ar ôl i dân ddigwydd, lle mae'r holl ddeunyddiau fflamadwy, neu'r rhan fwyaf ohonynt, wedi cael eu symud oddi yno, gyda'r bwriad o atal tanau ysgafn ar yr arwynebedd ac i fod yn llinell y gellir gweithio a chychwyn gwrthdan os oes raid, hefyd i hwyluso symud dynion ac offer i ymladd tân. *Cyfystyr(on)* fire line

fixed area sampling samplu ardal sefydlog *be* Gweithdrefn samplu yn seiliedig ar unedau samplu o fewn ardal benodol, yn annibynnol ar faint y paramedrau poblogaeth i gael ei amcangyfrif. *Cyfystyr(on)* fixed area plot sampling; bounded plot sampling; quadrat sampling

forecast rhagolwg *eg* rhagolygon. Amcangyfrif bras o rywbeth yn y dyfodol, e.e. twf, cynyddiad dbh, ansawdd, etc. yn seiliedig ar y statws cyfredol, gwybodaeth a dynameg debygol. *Cyfystyr(on)* prediction

forest coedwig *eb* coedwigoedd. 1) Ecoleg: fel rheol ecosystem a nodweddir gan orchudd coed mwy neu lai trwchus a helaeth. Yn fwyaf arbennig, cymuned planhigion sy'n cynnwys gan mwyaf coed a llystyfiant coediog arall, sy'n tyfu fwy neu lai yn agos at ei gilydd. 2) Rheolaeth coedwriaeth/coedwigaeth: ardal sy'n cael ei rheoli er mwyn cynhyrchu coed a chynnyrch coedwig arall, neu sy'n cael ei chynnal dan lystyfiant coediog ar gyfer buddion anuniongyrchol megis hamdden neu amddiffyn dalgylchoedd.

forest act deddf coedwig *eb* deddfau coedwig. Deddf neu gyfraith sy'n rheoleiddio cadwraeth, trin, amddiffyn a defnyddio'r coedwigoedd a'r coedlannau mewn gwlad (neu dalaith neu ranbarth) ym mhob ffordd. *Cyfystyr(on)* forest ordinance; forest law

forest belt stribed coedwig *eg* stribedi coedwig. Stribed o goed o gwmpas neu ar hyd ardal sydd heb ei choedwigo. *Cyfystyr(on)* woodland belt

18

forest biotope mapping mapio biotop coedwig *be* Nodi, amlinellu a disgrifio biofathau nodweddiadol mewn ardal goedwig.

forest boundary ffin coedwig *eb* ffiniau coedwig. Llinell sydd wedi'i mapio, yn gwahanu'r goedwig oddi wrth defnydd tir arall. *Cyfystyr(on)* forest limit

forest capital cyfalaf coedwig *eg* 1) Y gwerth sy'n cael ei gynrychioli mewn tir, stoc tyfu a gwelliannau ffisegol, megis ffyrdd, adeiladau a draeniau, sydd gyda'i gilydd yn ffurfio ystad goedwig. 2) Yn draddodiadol, term a ddefnyddir i ddynodi gwir feintiau'r holl adnoddau.

forest clearing clirio coedwig *be* Cwympo a symud coed coedwig, gan gynnwys y boncyffion.

forest condition cyflwr coedwig *eg* Cyflwr iechyd a/neu gynhyrchiant pridd a chnwd/cnydau coedwig benodol.

forest decline dirywiad coedwig *eg* Y golled mewn iechyd a bywiogrwydd celli nei goedwig sydd i'w briodoli i lygredd aer.

(forest) degradation diraddiad (coedwig) *eg* Difrod i adeiledd cemegol, biolegol a/neu ffisegol pridd (diraddiad pridd) ac i'r goedwig ei hun (diraddiad coedwig), o ganlyniad i ddefnydd neu reolaeth anghywir. Os na chaiff ei adfer, bydd yn lleihau neu'n dinistrio potensial cynnyrch ecosystem coedwig (am byth).

forest destruction dinistrio coedwig *be* *Cyfystyr(on)* forest depletion

forest district rhanbarth coedwig *eg* rhanbarthau coedwig. Ardal sydd wedi'i

diffinio yn ddaearyddol ac yn weinyddol lle ceir sawl coedwig, fel arfer gyda rhywun â gradd brifysgol yn rheolwr arni.

forest economics economeg coedwigaeth *eb* 1) Gwyddor coedwigaeth gan gyfeirio at goedwigoedd yn gyffredinol fel ased cynhyrchiol; 2) yn fwy penodol, yn Unol Daleithiau America, rheolaeth coedwigoedd o'i hystyried fel menter er mwyn cael enillion unigol neu ar y cyd, gan ymwneud felly yn bennaf gyda chostau ac adenillion, ariannol ac fel arall, yn ymwneud (a) â pholisi cyhoeddus, arferion busnes, ac arferion marchnata, (b) â chymeriad, perchnogaeth a gwaith y goedwig.

forest ecosystem ecosystem coedwig *eb* ecosystemau coedwig. System ecolegol yn cynnwys cydrannau biotig ac anfiotig o'r amgylchedd, gyda choed yn rhan bwysig ohoni, lle mae eu canopi yn gorchuddio 20% neu fwy o'r arwynebedd.

forest edge ymyl coedwig *eb* ymylon coedwig. 1) Y stribed mwy neu lai ddiffiniedig sy'n gwahanu coedwig o elfennau eraill o'r amgylchedd, e.e. cae / coetir; 2) rhan allanol coedwig neu gelli. *Cyfystyr(on)* forest border

forest enterprise menter coedwigaeth *eb* mentrau coedwigaeth. Cwmni neu gorff busnes sydd â'r gwaith o reoli ystad goedwig (yn fasnachol).

forest estate stad coedwig *eb* stadau coedwig. Ardal, beth bynnag fo'i pherchnogaeth, a ddefnyddir at ddibenion coedwigaeth.

forest floor llawr coedwig *eg* Haen o ddeunydd organig (dail, brigau, ac olion planhigion mewn gwahanol gyfnodau o bydredd) sy'n gorwedd ar ben y pridd mwynol. *Cyfystyr(on)* **humus**

forest fragmentation darnio coedwig *be* 1) Dyraniad ffisegol eiddo coedwig i unedau perchnogaeth llai; 2) rhaniad coedwig i unedau rheoli llai a llai eto; 3) torri ardal goedwig fawr yn ardaloedd coedwig llai, gyda defnydd tir heb fod yn goedwig mewn clytiau rhyngddynt. *Cyfystyr(on)* **fragmentation of forest holdings**

forest inspection arolygu coedwig *be* Rheolaeth y wladwriaeth o'r sector coedwigaeth. Hefyd y corff sy'n gwneud y rheoli.

forest inspectorate arolygiaeth coedwigoedd *eb* Asiantaeth wladol sy'n gyfrifol am reoli a rheoleiddio defnydd tir coedwig.

forest inventory stocrestr coedwig *eb* stocrestri coedwig. Arolwg i bennu, ar arwynebedd penodol, data megis cyflyrau'r pridd, rhediadau dŵr, lleoliad, mynediad, a thopograffi, ynghyd â stent y fflora a'r ffawna, cyflwr, cynnwys a chyfansoddiad y coedwigoedd, ar gyfer dibenion fel prynu neu reoli, neu fel sail i bolisïau a rhaglenni coedwig. *Cyfystyr(on)* **forest survey**

forest land area arwynebedd tir coedwig *eg* Arwynebedd cyfan menter goedwigaeth neu uned reoli, h.y. cyfanswm tir cynhyrchiol ac anghynhyrchiol y goedwig.

forest land use mapping mapio defnydd tir coedwig *be* Adnabod stent gofodol y swyddogaethau coedwig go iawn a/neu y rhai sy'n cael eu cynnig, yn seiliedig ar ffactorau safle ac ar feini prawf cymdeithasol, economaidd a pherchnogaeth *Cyfystyr(on)* **forest functions surveying [trans.]**

forest land-use planning cynllunio defnydd tir coedwig *be* Datblygu cynlluniau rheoli coedwig fel rhan integrol o gynllunio defnydd tir rhanbarthol neu genedlaethol, at ddibenion diogelu natur, cadwraeth tirwedd a chynnal tirweddau sy'n bod neu y byddai'n ddymunol eu cael.

forest management rheolaeth coedwig *eb* Cymhwyso egwyddorion biolegol, ffisegol, meintiol, rheolaethol, economaidd, cymdeithasol a pholisi i aildyfu, defnyddio a chadw coedwigoedd i gyrraedd nodau ac amcanion penodol (gan gynnal gallu cynhyrchiol y goedwig ar yr un pryd). *Cyfystyr(on)* **forest management planning [neol]**

forest management planning cynllunio rheoli coedwig *be* Y broses gynllunio mewn menter goedwigaeth, lle gweinir penderfyniadau tymor canol (10-20 mlynedd) yn arbennig, yn seiliedig ar amcanion tymor hir a gwybodaeth gyfredol (stocrestr), yn ymwneud â rheoli'r coedwigoedd.

forest management plan cynllun rheoli coedwig *eg* cynlluniau rheoli coedwig. Yr holl wybodaeth (ar ffurf testun, mapiau, tablau a graffiau) a gasglwyd yn y stoc rhestru coedwig (gyfnodol) ac a gywasgwyd i gynllun ysgrifenedig o reoli gan anelu at barhad polisi a gweithredu a rheoli triniaeth coedwig. *Cyfystyr(on)* **forest working plan**

forest management planner cynlluniwr rheolaeth coedwig *eg* cynllunwyr rheolaeth coedwig. Person sy'n gyfrifol am gydlynu a gweithredu cynnal stocrestr, mapio, gweithgareddau gweithredu a rheoli sydd eu hangen ar gyfer rheoli ystad coedwig (yn gynaliadwy). *Cyfystyr(on)* forest planner

forest management unit uned rheoli coedwig *eb* unedau rheoli coedwig. Darn diffiniedig o dir sy'n ffurfio'r ardal sylfaenol at ddibenion cynllunio a rheoli. Fel arfer, unedau rheoli yw'r sylfaen ar gyfer cynlluniau a gweithredoedd manwl. Gellir eu rhannu ymhellach yn unedau llai megis adrannau neu isadrannau, a gallant eu hunain fod yn rhan o uned gynllunio fwy neu ddynodiad tebyg.

forest mantle mantell coedwig *eb* mentyll coedwigoedd. Y stribyn ymylol mewn celli coedwig aeddfed, lle mae'r lleoliad agored yn golygu bod angen defnyddio technegau coedwriaeth, amddiffyn neu gynaeafu arbennig. *Cyfystyr(on)* wind mantle [trans.]

forest map map coedwig *eg* mapiau coedwig. Map yn dangos manylion topograffyddol wedi'i gyfuno gyda gwybodaeth am goedwigaeth (e.e. lleoliad, ffyrdd coedwig, (is)adrannau, rhywogaethau, dosbarthiadau oed, toriadau, etc.), fel arfer o gwmpas graddfeydd o 1:5000 i 1:10000.

forest name enw coedwig *eg* enwau coedwigoedd. Adnabod coedwig arbennig (neu ran ohoni neu leoliad ynddi) drwy gyfrwng enw hanesyddol. *Cyfystyr(on)* forest property

forest nature trail llwybr natur coedwig *eg* llwybrau natur coedwig. Llwybr tywys sy'n cynnwys arddangosfeydd rhyngweithiol, drwy goedwig. *Cyfystyr(on)* forest walk

forest plant association cydgymuned planhigion coedwig *eb* cydgymunedau planhigion coedwig. Grwpiadau synecolegol rhywogaethau planhigion, yn byw yn yr un lle ar yr un pryd, sy'n ffurfio'r goedwig. *Cyfystyr(on)* forest plant community

forest plant sociology cymdeithaseg planhigion coedwig *eb* Yr astudiaeth o gymunedau planhigion, dan ba amodau y maent i'w cael, y rhywogaethau a pha mor aml y maent i'w cael. *Cyfystyr(on)* forest synecology

forest plants planhigion coedwig *ell* Coed ifanc neu doriadau a fagwyd yn rhywle arall, neu rai o'r gwyllt, a ddefnyddir i sefydlu celli neu gnwd coedwig. *Cyfystyr(on)* forest planting stock

forest management objective amcan rheoli coedwig *eg* amcanion rheoli coedwig. Pwrpas(au) neu ddiben(ion) (economaidd, cymdeithasol, amgylcheddol, etc.) y mae (neu y bwriedir fod) coedwig yn cael ei rheoli er eu mwyn.

forest policy polisi coedwig *eg* polisïau coedwig. Set o ddeddfwriaeth neu dargedau gwleidyddol yn ymwneud yn bennaf â nodau economaidd, cymdeithasol ac amgylcheddol sy'n sylfaen i reoli a datblygu coedwig.

forest products cynnyrch coedwig *eg* Yr holl ddeunydd sy'n gynnyrch ystad goedwig. Caiff ei ddosbarthu fel prif gynnyrch coedwig - pren, coed mân a choed tân; a mân gynnyrch coedwig - pob cynnyrch coedwig ar wahân i'r prif gynnyrch coedwig, gan gynnwys gwair, ffrwythau, dail, cynhyrchion anifeiliaid, pridd, dŵr ac weithiau fwynau. *Cyfystyr(on)* forest commodities

forest profitability buddioldeb ariannol coedwig *eg* Y lefel o fuddiannau ariannol, h.y. y gwahaniaeth rhwng dychweliadau ac arian a wariwyd, y mae coedwig neu stad goedwig yn ei gynhyrchu. *Cyfystyr(on)* profitability of forestry

forest protection act deddf gwarchod coedwig *eb* deddfau gwarchod coedwig. Datganiad cyfreithiol sy'n sefydlu coedwigoedd gwarchod.

forest range maes cyfrifoldeb coedwigaeth *eg* meysydd cyfrifoldeb coedwigaeth. Tiriogaeth coedwig sydd i'w rheoli, yn cynnwys un neu fwy o ddarnau o eiddo coedwig. *Cyfystyr(on)* range

forest region rhanbarth coedwig *eg* rhanbarthau coedwig. Ardal sydd wedi'i diffinio yn hanesyddol ac yn ecolegol, lle mae coedwigoedd yn ffurfio cyfran sylweddol o gyfanswm y defnydd tir.

forest renewal adnewyddu coedwig *be* Term cyffredinol yn ymwneud â phob gweithgaredd sy'n ymwneud ag aildyfu coedwig.

forest rent(al) rhent coedwig *eg* rhenti coedwig. Incwm net blynyddol (h.y. llif arian net) o goedwig neu stad coedwig. *Cyfystyr(on)* forest returns

forest reserve gwarchodaeth goedwig *eb* Ardal sy'n cael ei dynodi a'i chreu dan ddeddf neu ordinhad coedwig er mwyn rhoi'r amddiffyniad y dymunir ei gael neu amddiffyniad cyfreithiol iddi. *Cyfystyr(on)* reserved forest

forest resources adnoddau coedwig *ell* Adnoddau sy'n gysylltiedig â choedwigoedd gan gynnwys, heb gyfyngiadau, pren, dŵr, pridd, bywyd gwyllt, pysgodfeydd, hamdden, golygfeydd, mwynderau, cynhyrchion botanegol y goedwig, porthiant, ac amrywiaeth fiolegol, lle gall y rhain i gyd fod â gwerth yn unigol ac ar y cyd a hefyd fod yn ddiwylliannol berthnasol.

forest right hawl coedwig *eb* hawliau coedwig. Hawl sy'n cael ei chydnabod yn gyfreithiol, sydd gan berson, cymuned neu eiddo, i gyfran barhaus ym mwyniant rhai neu'r cyfan o fuddion eiddo coedwig rhywun arall. *Cyfystyr(on)* right of forest use; forest privilege

forest road ffordd goedwig *eb* ffyrdd coedwig. Ffordd sy'n darparu mynediad i goedwig neu y tu mewn iddi. Ffordd halio yw ffordd goedwig sy'n addas ar gyfer cludo coed. *Cyfystyr(on)* haul road

forest road construction plan cynllun adeiladu ffyrdd coedwig *eg* cynlluniau adeiladu ffyrdd coedwig. Cynllun sy'n cynnwys manylion tymhorol, gofodol a ffisegol ffyrdd coedwig sydd i gael eu hadeiladu, eu cynnal neu eu huwchraddio mewn ardal arbennig yn ystod cyfnod penodol. *Cyfystyr(on)* roading plan

forest soil pridd coedwig *eg* Pridd, gyda nodweddion sy'n deillio o'r gorchudd coed neu sy'n cael ei bwysleisio ganddo.

forest stewardship stiwardiaeth coedwig *eb* Rheoli coedwigoedd ac adnoddau cysylltiedig eraill mewn ffordd sy'n eu galluogi i gael eu pasio ymlaen i genedlaethau'r dyfodol mewn cyflwr iach.

forest structure adeiledd coedwig *eg* adeileddau coedwig. 1) Yn gyffredinol, elfennau cyfansoddol amrywiol llorweddol a fertigol y goedwig. 2) Disgrifiad o ddosbarthiad a chynrychioliad dosbarthiadau rhywogaethau, oed, maint a dosbarthiadau brigdyfiant o fewn coedwig; mae cyfansoddiad coedwig yn cyfeirio'n arbennig at y cyfartaledd o bob rhywogaeth coed a geir mewn coedwig o'i fynegi naill ai yn gyfan gwbl neu fel canran o naill ai'r cyfanswm, arwynebedd gwaelodol neu gyfaint yr holl rywogaethau coed mewn coedwig. *Cyfystyr(on)* forest composition

forest taxation treth coedwig *eb* trethi coedwig. Gosod neu dalu trethi yn ymwneud â choedwigaeth a chynnyrch coedwig, a'r llif arian y maent yn eu creu.

forest type math o goedwig *eg* mathau o goedwigoedd. Grwpiad o ardaloedd neu gellïoedd o gyfansoddiad tebyg, sy'n ei wahaniaethu o grwpiau eraill tebyg. Mae mathau o goedwigoedd fel arfer yn cael eu gwahanu a'u hadnabod drwy gyfansoddiad y rhywogaethau ac yn aml hefyd drwy eu huchder a'u dosbarthiadau caead brigdyfiant. Wrth fanylu yn ôl math, gall oed, safle ac amrywiadau eraill yn y dosbarthu hefyd gael eu hadnabod.

forest use defnydd coedwig *eg* Un o ddibenion y goedwig. Gellir grwpio swyddogaethau coedwig i nifer o ddosbarthiadau, e.e. swyddogaeth cynhyrchu, swyddogaeth mwynder, swyddogaeth cadwraeth, swyddogaeth amddiffyn, etc. *Cyfystyr(on)* forest land use; forest function

forest utilization defnydd coedwig *eg* Y gangen mewn coedwigaeth sy'n ymwneud â chynaeafu, unrhyw brosesu angenrheidiol, a dosbarthu cynnyrch coedwig i'r cwsmer. *Cyfystyr(on)* forest utilisation

forest valuation prisiant coedwig *eg* Y gangen o goedwigaeth sy'n ymwneud â gwerthusiad economaidd stadau coedwigaeth a'u cydrannau. *Cyfystyr(on)* forest appraisal

forest value gwerth coedwig *eg* Gwerth ariannol cnwd, celli neu goedwig, yn cael ei fesur drwy ddefnyddio technegau prisiant coedwig.

forestation coedwigo *be* Sefydlu coedwig.

forestry coedwigaeth *eb* Gwyddor, celfyddyd ac ymarfer rheoli, defnyddio a chadwraeth coedwigoedd ac adnoddau cysylltiedig er budd pobl ac mewn dull cynaliadwy i gyrraedd nodau, anghenion a gwerthoedd y byddai'n ddymunol eu cyflawni.

form class dosbarth ffurfiau *eg* dosbarthiadau ffurfiau. Unrhyw un o'r cyfyngau y mae modd rhannu mynegiad rhifyddol tapr (cyff coeden neu foncyff) iddo er mwyn ei ddosbarthu neu ei ddefnyddio, h.y. yn gyffredin ystod o ffactorau ffurf, cyniferyddion ffurf.

form factor ffactor ffurf *eb* ffactorau ffurf. Y gymhareb rhwng cyfaint coeden y tu mewn i'r rhisgl a chyfaint silindr o'r un diamedr ac uchder (fel arfer y diamedr y tu allan i'r rhisgl).

form height taldra ffurf *eg* Cynnyrch ffactor ffurf a chyfanswm taldra'r goeden. *Cyfystyr(on)* tree form height

form quotient cyniferydd ffurf *eg* cyniferyddion ffurf. Cymhareb unrhyw ddau ddiamedr (neu gylchfesur) cyff coeden dros y rhisgl. *Cyfystyr(on)* form ratio; taper factor

form(-)height increment cynyddiad taldra ffurf *eg* Y cynnydd yn nhaldra ffurf coed unigol neu gellïoedd yn ystod cyfnod penodol.

Forstkartenwerk (de) Crynswth yr holl fapiau thematig a ddefnyddir gan reolwyr coedwig ac a gynhyrchir ganddynt. *Cyfystyr(on)* map folio

frame tree coeden fframio *eb* coed fframio. Term tebyg i *elite tree* (coeden ddethol) a *final crop tree* (coeden cnwd terfynol) a ddefnyddir yng nghyd-destun trosi a thraswffurfio coedwig neu gelli.

free growth management rheolaeth twf rhydd *eb* System reoli sy'n ceisio cynyddu diamedr coed unigol neu grwpiau o unigolion yn gynnar ac yn gyflym drwy deneuo cynnar a thrwm a chyflymu twf copaon y coed.

French tamarisk grucbren *eb Tamarix gallica*

frost hollow pant llwydrew *eg* pantiau llwydrew. Safle (heb fod o reidrwydd mewn pant) lle mae rhew cynnar a/neu hwyr yn fwy cyffredin, difrifol a hir ei barhad nag yn yr ardal oddi amgylch yn

aml oherwydd diffyg traeaniad aer. *Cyfystyr(on)* frost pocket; frost spot

fully stocked stand celli wedi'i stocio'n llawn *eb* cellïoedd wedi'u stocio'n llawn. 1) Celli neu gnwd lle bernir fod yr holl le ar gyfer tyfu wedi'i gymryd gan y cnwd coedwig, ond lle mae digon o le yn cael ei adael i goed y cnwd ddatblygu ymhellach; 2) celli lle mae cyfaint y prif gnwd ar ôl teneuo yn hafal i gyfartaledd y stoc twf a ddisgwylir.

future value gwerth i'r dyfodol *eg* 1) Gwerth cost neu fudd neu gyfres o gostau neu fuddiannau ar ryw amser yn y dyfodol; 2) gwerth costau neu fuddiannau cyfansawdd ar ddiwedd cyfnod buddsoddi (e.e. ar ddiwedd y cylchdro).

G

Geländetypisierung (de) Cyfuniad o ddosbarthiad tir a chelli a ddefnyddir i gynllunio gweithrediadau coedwig.

Gestell (de) Ffin adran syth, sy'n cael ei defnyddio'n aml fel ffordd yn y goedwig, yn gymharol llydan er mwyn gadael golau i dreiddio i ymylon y gelli, yn rhedeg ym mhrif gyfeiriad y gwynt, fel rhan o israniad coedwig. *Cyfystyr(on)* Flügel; Hauptschneise (de)

giant sequoia cochwydden gawraidd *eb* cochwydd cawraidd *Sequoiadendron giganteum Cyfystyr(on)* Wellingtonia

girth breast height cylchfesur uchder y frest *eg* Cwmpas neu gylchedd, h.y. y pellter o amgylch cyff coeden, o'i fesur ar uchder y frest.

girth increment cynyddiad cylchfesur *eg* cynyddiadau cylchfesur. Y cynnydd yng nghylchfesur coed unigol neu gnydau dros gyfnod penodol.

girth over bark cylchfesur dros y rhisgl *eg* Cylchfesur fel mae'n cael ei fesur neu ei gyfrifo gan gynnwys y rhisgl.

girth under bark cylchfesur dan y rhisgl *eg* Cyfrifo'r cylchfesuriad heb gynnwys y rhisgl.

glade llannerch *eb* llennyrch Lle agored mewn coedwig.

goat willow helygen *eb* helyg *Salix caprea Cyfystyr(on)* sallow

gorse eithinen *eb* eithin *Ulex spp.*

gradient graddiant *eg* Codiad neu gwymp lefel y tir, neu linell ffordd, ffos neu adeiledd llinol arall, a fynegir fel un uned fertigol i hyn a hyn o unedau llorweddol, e.e. 1/20 (=un mewn ugain) a hefyd fel %, yma 5%, neu mewn graddau o lethr, yma oddeutu 2.8 gradd. *Cyfystyr(on)* grade

grand fir ffynidwydden fawr *eb* ffynidwydd mawr *Abies grandis*

Grecian fir ffynidwydden Groeg *eb* ffynidwydd Groeg *Abies cephalonica*

grey alder gwernen lwyd *eb* gwern llwyd *Alnus incana*

grey poplar poplysen lwyd *eb* poplys llwyd *Populus canescens*

group advancement felling cwympo ehangu'r grŵp *be* Cwympo coed ar ymylon yr ardaloedd aildyfu, er mwyn cynyddu lledaeniad yr aildyfiant (e.e. yn y system coed cysgodol afreolaidd).

group management rheolaeth grŵp *eb* Cyfeiria hyn at gellïoedd neu gnydau, gan ddefnyddio grwpiau o goed fel unedau rheoli sylfaenol, o'u cyferbynnu â choed unigol neu gellïoedd cyfan.

group planting plannu grŵp *be* 1) Gosod coed ifanc allan mewn grwpiau (fel arfer gyda darnau o dir heb eu plannu rhwng grwpiau); 2) sefydlu grŵp cymysg drwy blannu. *Cyfystyr(on)* block planting

group selection system system dethol grŵp *eb* Dull aildyfu lle mae coed cysgodol, grwpiau neu ymylon yn cel eu cwympo gan ddilyn patrwm afreolaidd. Gall pob agoriad fod yn wahanol o ran maint, a chaiff ei aildyfu yn naturiol neu yn artiffisial. *Cyfystyr(on)* group selection management; group-selection method [Ca]

group shelterwood (system) system coed cysgodol grŵp *eb* System coed cysgodol lle mae'r canopi yn cael ei agor, drwy gwympo grwpiau o goed, fel ag i greu bylchau sydd wedi'u gwasgaru yn weddol o gyson ac sy'n cael eu gwneud yn fwy mewn cwympiadau yn nes ymlaen (cwympiadau ehangu'r grŵp) wrth i'r grwpiau o aildyfiant ddatblygu; mae'r aildyfu gan mwyaf yn naturiol, er ei fod yn aml yn cael cymorth ychwanegol artiffisial; mae'r cyfwng aildyfu yn eithaf byr a'r cnwd sy'n deillio o hynny fwy neu lai o'r un oed ac yn rheolaidd.

growing space gofod tyfu *eg* Y gofod (uwchben ac o dan y ddaear) sydd ar gael i goeden dyfu heb gystadleuaeth ormodol.

growing stock stoc tyfu *eg* Swm pob coeden, yn ôl nifer, arwynebedd gwaelodol neu gyfaint, fel arfer dros leiafswm diamedr, mewn coedwig neu ran benodol ohoni, wedi'i fynegeio mewn gwahanol ffyrdd ond fel arfer yn nhermau cyfanswm cyfaint neu fas y cyffion.

growing stock structure adeiledd stoc tyfu *eg* adeileddau stoc tyfu. Dosbarthiad gofodol a fertigol y stoc sy'n tyfu yn ôl rhywogaeth, maint, ansawdd, etc.

growth acceleration cyflymiad twf *eg* Cynnydd sylweddol yn nhwf coeden, cnwd neu gelli. Nid oes amserlen arbennig wedi'i nodi.

growth form ffurf twf *eb* ffurfiau twf. Yr ymddangosiad cyffredinol nodweddiadol - siâp, adeiledd, a ffordd coeden o dyfu.

growth function ffwythiant twf *eg* ffwythiannau twf. Y berthynas (fathemategol) rhwng oed coeden neu gelli a pharamedr twf megis taldra, cyfaint, diamedr, arwynebedd, etc.

growth model model twf *eg* modelau twf Cynrychioliad mathemategol o dwf at ddibenion amrywiol.

growth parameters paramedrau twf *ell* Term cyffredinol ar gyfer newidynnau coed sy'n cael eu defnyddio i fesur twf coeden, e.e. uchder, dbh, cyfaint. *Cyfystyr(on)* growth variables

growth percent canran twf *eb* canrannau twf. Cynyddiad (fel arfer cyfaint neu arwynebedd gwaelodol) dros gyfnod penodol, yn cael ei fynegi fel canran o'r swm ar ddechrau, neu yn fwy cyffredin, hanner ffordd drwy'r cyfnod.

growth region rhanbarth twf *eg* rhanbarthau twf. Darn o dir, sydd oherwydd ei nodweddion unffurf, yn cael ei ystyried i fod yn addas ar gyfer rhywogaethau a thriniaethau coedwriaethol arbennig.

growth ring cylch twf *eg* cylchoedd twf. Mewn trawstoriad, haen o bren sydd i weld wedi'i gynhyrchu mewn un cyfnod twf, fel arfer un flwyddyn. *Cyfystyr(on)* annual (growth) ring; tree ring

growth zone parth tyfu *eg* parthau tyfu. Darn mawr o dir, yn cynnwys sawl parth twf, sydd, oherwydd ei facrohinsawdd unffurf, yn cael ei gyfrif i fod yn addas ar gyfer math arbennig o goedwig.

Gruppe (de) Arwynebedd rhwng 400 m² a 1000 m², neu sydd â diamedr o rhwng 0.5 a 1.0 taldra'r coed oddi amgylch. *Cyfystyr(on)* group (of trees)

guelder rose corswigen *eb* corswig *Cyfystyr(on)* Viburnum opulus

H

habitat cynefin *eg* cynefinoedd. Amgylchedd naturiol planhigyn neu anifail.

harvest felling cwympo cynhaeaf *be* Toriad canolraddol neu derfynol sy'n symud coed y mae modd eu gwerthu. *Cyfystyr(on)* harvest cut(ting)

harvest loss colled cynaeafu *eb* colledion cynaeafu. Y rhan honno o goeden neu foncyff sydd o werth masnachol, ond nad yw'n cael ei defnyddio. Mae'n cyfateb i'r gwahaniaeth rhwng y cyfaint sy'n sefyll a'r cyfaint wedi'i gynaeafu. *Cyfystyr(on)* harvest waste

harvest management rheoli cynaeafu *be* Gosodiad, rheolaeth a goruchwyliaeth gweithgareddau cynaeafu.

harvest percent canran cynhaeaf *eb* canrannau cynhaeaf. Cyfaint y cynhaeaf, wedi'i fynegi fel cyfran o'r stoc tyfu, fe arfer ar sail flynyddol.

harvest volume cyfaint cynhaeaf *eg* cyfeintiau cynhaeaf. Cyfaint (a gynlluniwyd) o goed wedi'u cwympo mewn ardal reoli, gan gynnwys cwympiadau canolradd a therfynol.

harvesting costs costau cynaeafu *ell* Y costau sydd ynghlwm wrth gynaeafu coed, o'u cwympo i'w storio ar gyfer eu cludo ymlaen. Gellir hefyd gynnwys cost plannu a rheoli gweithrediadau cynaeafu.

harvesting method dull cynaeafu *eg* dulliau cynaeafu. Y dull torri, fel sy'n cael ei bennu gan y system goedwriaethol, y peiriannau sydd ar gael, a chyflwr y safle, ar gyfer cynaeafu celli. *Cyfystyr(on)* cutting method

hauling distance pellter halio *eg* pellterau halio. Y pellter y mae pren yn cael ei halio drosto, h.y. y pellter rhwng coedwig a'r cwsmer yn y canol neu'r cwsmer terfynol (e.e. iard goed ganolog

neu leoliad prosesu). *Cyfystyr(on)* transport distance

hawthorn draenen wen *eb* draen gwynion *Crataegus monogyna Cyfystyr(on)* quickthorn

hazel collen *eb* cyll *Corylus avellana*

height according to the 40% rule uchder yn ôl y rheol 40% *eg* Amcangyfrif o daldra celli, yn cael ei gynrychioli gan daldra coeden mewn dosbarthiad amlder diamedrau wedi'i leoli yn 40% o gyfanswm y nifer, yn ôl o'r goeden dbh fwyaf. *Cyfystyr(on)* height according to Weise's 40% rule

height curve cromlin uchder *eb* cromliniau uchder. Cynrychioliad graffigol neu ddiffiniad mathemategol o'r berthynas rhwng taldra ac oed coeden neu gelli. *Cyfystyr(on)* height development curve; height/age curve

height determination mesuriad uchder *eg* mesuriadau uchder. Mesuriad uchder coed sy'n sefyll gan ddefnyddio offer mesur ac egwyddorion trigonometrig neu geometrig, lle caiff uchder ei ddiffinio fel y gwahaniaeth fertigol rhwng blaen y goeden benodol neu bwynt uchaf arall a phwynt mynediad y cyff ar lefel y llawr. *Cyfystyr(on)* height measurement

height growth twf uchder *eg* Y cynnydd yn uchder coeden unigol neu gelli dros amser. *Cyfystyr(on)* height increment

height meter mesurydd uchder *eg* mesuryddion uchder. Offeryn a ddefnyddir i fesur taldra coed. *Cyfystyr(on)* clinometer

height/dbh ratio cymhareb uchder/dbh *eb* cymarebau uchder/dbh. Cymhareb uchder coeden dros dbh. Mae'r gymhareb yn rhoi amcan o'r ffordd y mae'r coed yn culhau ac yn anuniongyrchol o reolaeth y gelli yn y gorffennol ac o sadrwydd y gelli. *Cyfystyr(on)* height-dbh ratio

height/diameter curve cromlin uchder/diamedr *eb* cromliniau uchder/diamedr. Cynrychioliad graffigol neu ddiffiniad mathemategol o'r berthynas rhwng taldra a diamedrau coed unigol mewn poblogaeth benodol, a ddefnyddir i bennu cyfeintiau coed o ffwythiannau cyfaint coed 2-ddimensiwn. *Cyfystyr(on)* diameter/height curve

hemeroby [neol.] hemerobi *eg* hemerobïau. Dosbarthiad ecolegol safonedig ar gyfer cellïoedd gan gymryd i ystyriaeth faint dylanwadau dyn.

high forest coedwig uchel *eb* coedwigoedd uchel. Cnydau neu gellïoedd coed, fel arfer wedi tarddu o had neu eginblanhigion, sydd fel arfer yn datblygu canopi uchel caeedig.

high forest system system coedwig uchel *eb* systemau coedwig uchel. Systemau coedwriaeth lle mae'r coed yn cael eu rheoli ar gylchdro sy'n ddigon maith i gynhyrchu coed sy'n ddigon mawr ar gyfer cynhyrchu pren.

high forest with reserves system system coedwig uchel gyda choed wrth gefn *eb* System ategu lle mae coed o'r hen gnwd, naill ai'n unigol neu mewn grwpiau, yn cael eu cadw ar ôl y cyfnod aildyfu, ar gyfer y cyfan neu ran o'r cylchdro

coedwig uchel nesaf. *Cyfystyr(on)* system high forest with standards

high taper [trans.] culhad uchel *eg* Term disgrifiadol am goeden lle mae'r cyff yn culhau yn uchel i fyny (siâp côn) o'i gyferbynnu gydag un sy'n agos i ffurf cyff silindrog.

high value assortments cymysgeddau gwerth uchel *ell* Targed cynhyrchu ar gyfer detholiad cymysg o goed sydd â gwerth ariannol uchel i bob metr ciwbig.

highly structured forests coedwigoedd strwythuredig iawn *ell* Coedwigoedd lle mae dosbarthiad a chynrychioliad oed a/neu maint yn arbennig dosbarthiadau diamedr, a brigdyfiant neu ddosbarthiadau coed eraill yn cael eu gwahanu yn ôl gofod.

history of stand hanes celli *eg* Disgrifiad ysgrifenedig o'r datblygiad ac o arferion rheoli'r gorffennol mewn perthynas â chelli.

holly celynnen *eb* celyn *Ilex aquifolium*

holm oak derwen fythwyrdd *eb* derw bythwyrdd *Quercus ilex*

horizontal stand structure adeiledd llorweddol celli *eg* adeileddau llorweddol celli. Trefniad celli mewn ardal, e.e. rhywogaethau (cymysgedd), oed, graddfa fawr neu fach.

hornbeam oestrwydden *eb* oestrwydd *Carpinus betulus*

horse chestnut castanwydden y meirch *eb* castanwydd y meirch *Aesculus hippocastanum*

Horst (de) Casgliad o goed (mwy na *Gruppe*) y mae modd ei wahaniaethu o'r cnwd coedwig drws nesaf mewn un nodwedd neu fwy, yn gorchuddio arwynebedd rhwng 0.1 a 0.5 ha (1,000 i 5,000 m²). *Cyfystyr(on)* large group [trans.]

hypsometer hypsofesurydd *eg* hypsofesuryddion. Dosbarth o offer a gynlluniwyd i fesur taldra coed o'r ddaear gan ddefnyddio egwyddorion trigonometrig neu geometrig. Mae'r arsylwr yn mesur i frig a gwaelod y goeden o bellter hysbys.

I

ice damage difrod iâ *eg* Niwed i goed o ganlyniad i ddyddodion iâ.

improvement felling cwympo gwelliannol *be* Gwaredu coed llai gwerthfawr, o blaid hybu datblygiad twf coed mwy gwerthfawr, fel arfer mewn coedwig gymysg o oed anwastad, gyda'r nod o wella ansawdd, iechyd a sefydlogrwydd y gelli sydd ar ôl. Gall cynnwys teneuo grwpiau sydd wedi'u stocio'n agos at ei gilydd ynghyd â glanhau a chynorthwyo yn gyffredinol twf ifanc rhywogaethau gwerthfawr. *Cyfystyr(on)* improvement cutting

increase in growth rate cynnydd yn y gyfradd twf *eg* Cynnydd yn y cynyddiad, h.y. cyfradd twf coeden, cnwd neu gelli, fel y'i mesurir dros gyfnod penodedig. *Cyfystyr(on)* increase in increment

increment cynyddiad *eg* cynyddiadau. Y cynnydd yn niamedr, arwynebedd

gwaelodol, taldra, cyfaint, ansawdd neu werth coed neu gellïoedd unigol neu gellïoedd yn ystod cyfnod penodol.

increment borer tyllwr cynyddiad *eg* tyllwyr cynyddiad. Offeryn tebyg i daradr gydag ebill gwag, a ddefnyddir i dynnu creiddiau neu silindrau o bren o goed gyda chylchoedd blynyddol, ar gyfer pennu cynyddiad ac oed.

increment coefficient cyfernod cynyddiad *eg* cyfernodau cynyddiad. Cymhareb cynyddiad (fel arfer ar gyfer cyfaint neu arwynebedd gwaelodol), yn ystod cyfnod penodol, dros gyfaint y cnwd sy'n sefyll neu'r arwynebedd gwaelodol ar ddechrau, neu yn fwy cyffredin, hanner ffordd drwy'r cyfnod.

increment percent canran cynyddiad *eb* canrannau cynyddiad. Cynyddiad (cyfaint, arwynebedd gwaelodol, diamedr, taldra neu newidyn arall) dros gyfnod penodol, yn cael ei fynegi fel cyfartaledd o werth cychwynnol cyfatebol y mesur ar ddechrau, neu yn fwy cyffredin, hanner ffordd drwy'r cyfnod.

increment study astudiaeth cynyddiad *eb* astudiaethau cynyddiad. Archwiliad i sefydlu tueddiad cynyddiad (gorffennol a phresennol), yn bennaf o ddadansoddi twf rheiddiol.

increment table tabl cynyddiadau *eg* tablau cynyddiadau. Tabl o gynyddiadau blynyddol cymedrig, wedi'i baratoi drwy rannu pob cofnod cyfaint mewn tabl cynhyrchiant gan yr oed priodol.

increment thinning teneuo cynyddiad *be* Agor y canopi i fyny yn sylweddol tua diwedd y cylchdro, er mwyn hybu cynyddiad y coed unigol a adawyd i ffurfio'r cnwd terfynol. **Cyfystyr(on) accretion thinning**

index stand celli fynegeiol *eb* cellïoedd mynegeiol. Celli, sy'n cynrychioli pob celli o'r un math o safle ac o gyfansoddiad tebyg, a ddefnyddir i gasglu gwybodaeth ar ofynion datblygu a rheoli. **Cyfystyr(on) indicator stand; control stand**

indicator species rhywogaethau dynodol *ell* Rhywogaethau sy'n nodweddiadol o goetir hynafol oherwydd eu gallu gwasgaru gwael. Mae rhai nad ydynt i'w cael mewn bron unrhyw gynefin arall, yn arbennig cennau a chwilod pren marw neilltuol, tra bod eraill yn cael eu cysylltu â choetir hynafol i ryw raddau neu'i gilydd, yn cynnwys amryw o blanhigion blodeuol, mwsoglau, gwlithod a malwod, pryfed cop/corrod, gwyfynod a glöynnod byw mwy eu maint ac o bosibl ffyngau.

indicators dangosyddion *ell* Meintiau unigol a geir o newidynnau unigol neu baramedrau a amcangyfrifwyd sy'n disgrifio neu'n mesur cyflwr amgylcheddol neu gymdeithasol.

inductive and deductive forest management methods dulliau rheoli coedwig anwythol a diddwythol *ell* Anwythol: mae penderfyniadau cyffredinol yn cael eu seilio ar amodau arbennig (e.e. y dull rheoli); diddwythol: caiff penderfyniadau penodol eu seilio ar y sefyllfa gyffredinol (e.e. rheoli cynhyrchiant yn ôl dosbarthiadau oed).

ingrowth mewndwf *eg* 1) Cyfaint, arwynebedd gwaelodol neu nifer y coed sydd wedi tyfu i mewn i gategori

mesuredig yn ystod cyfnod penodol; 2) coed sydd yn ystod cyfnod penodol wedi tyfu y tu hwnt i derfyn isaf mympwyol (fel arfer) diamedr neu daldra. Fel arfer mesurir mewndwf fel arwynebedd gwaelodol neu gyfaint fesul arwynebedd uned. **Cyfystyr(on) recruitment (silv.)**

integrated planning plannu integredig *be* Proses gynllunio lle mae holl gyfnodau amrywiol cynllunio rheoli'r goedwig wedi'u cyfuno i un cynllun cydlynol, cytbwys a chynaliadwy ar gyfer y goedwig gyfan.

interim management plan revision adolygiad cynllun rheoli interim *eg* adolygiadau cynllun rheoli interim. Gwirio'r cynllun rheoli (heb fod wedi'i amserlennu), yn ystod y cyfnod cynllunio, i archwilio adolygiadau angenrheidiol i'r cynllun, e.e. o ganlyniad i ddifrod catastroffig.

interior forest conditions cyflyrau mewnol coedwig *ell* Yr amodau amgylcheddol sy'n nodweddiadol o ran fewnol o ddarn o gynefin. Maent fel arfer yn weddol sefydlog a heb gael eu dylanwadu gan yr hinsawdd amrywiol sy'n gysylltiedig ag amodau ar y cyrion.

intermediate felling cwympo canolradd *be* Symud coed o gelli neu gnwd rheolaidd rhwng amser ei ffurfio a'u torri ar gyfer eu cynaeafu. Mae hyn yn cael ei ddehongli fel arfer i gynnwys glanhau, teneuo, rhyddhau a thorri i wella, cwympo i hybu cynnydd ac weithiau hyd yn oed dorri i arbed a chynnal iechyd y goedwig. **Cyfystyr(on) intermediate cutting**

intermediate tree coeden ganolradd *eb* coed canolradd. Coeden sydd heb fod yn y canopi uchaf, ond y mae gan ei rhan arweiniol fynediad rhannol o hyd at y golau oddi fry. *Cyfystyr(on)* **sub-dominant tree**

intermediate yield cynnyrch rhyng-gyfnodol *eg* Yr holl ddefnyddiau o gwympiad(au) rhwng y cyntaf a'r olaf, h.y. o gwympiadau yn ystod y cyfnod yn y cylchdro nad yw'n cael ei gynnwys yn y cwympiadau terfynol, neu'r hyn sy'n cyfateb yn ariannol iddo.

intermittent production cynhyrchu ysbeidiol *be* 1) Mewn coedwig lle mae ond un neu ychydig o ddosbarthiadau oed yn bresennol, mae coed yn aeddfedu ac yn cael ei gynhyrchu yn ysbeidiol (ysbeidiau rheolaidd) gyda nifer o flynyddoedd rhyngddynt; 2) coedwig heb ei threfnu ar gyfer cynhyrchu parhaus.

interspersion rhyngwasgaru *be* Dosbarthiad gofodol (a thymhorol) a rhyng-gymysgiad mathau gwahanol o ecosystemau a'u hymylon cysylltiedig o fewn matrics tirwedd ehangach. Mae rhyngwasgariad yn pennu faint o amrywiaeth ymyl a chynefin a geir mewn unrhyw un ardal (dros amser).

inventory stocrestr *eb* stocrestri. Set o ddulliau samplu gwrthrychol wedi'u cynllunio i fesur y dosbarthiad gofodol, cynnwys a chyfraddau newid nodweddion o fewn lefelau manwl-gywirdeb penodedig at ddibenion cynllunio, rheoli a chadw trefn. *Cyfystyr(on)* **survey**

inventory by sample plots stocrestr yn ôl lleiniau sampl *eb* stocrestri yn ôl lleiniau sampl. Dull cynnal arolwg lle mae rhannau o'r boblogaeth sydd wedi'u dewis yn systematig neu ar hap yn cael eu cymryd i gynrychioli ansawdd a/neu maint y cyfan.

inventory design cynllun stocrestr *eg* cynlluniau stocrestri. 1) Darluniad manwl a dull stocrestr ar gyfer lleoliad penodol; 2) manyleb ddiamwys o'r dull samplu a'r dull dadansoddi dilynol. *Cyfystyr(on)* **survey design**

inventory method dull stocrestru *eg* dulliau stocrestru. Y dulliau gweithredu a ddefnyddir i lunio stocrestr, e.e. dewis a maint yr unedau samplu, y mesuriadau wnaed, offer ddefnyddiwyd, methodoleg cofnodi a dadansoddi.

inventory of growing stock stocrestr coed sy'n tyfu *eb* stocrestri coed sy'n tyfu. Rhestr stoc wedi'i chyfyngu i amcangyfrif cyfaint (neu goed) sy'n sefyll ym mhob uned reoli benodol.

irregular stand celli afreolaidd *eb* cellïoedd afreolaidd. Celli o adeiledd anwastad ac fel arfer o oed anwastad, yn cynnwys coed y mae eu brigdyfiant ar lefelau gwahanol ac yn ffurfio canopi anwastad iawn.

Italian cypress cypreswydden Eidalaidd *eb* cypreswydd Eidalaidd ***Cupressus sempervirens***

ivy iorwg *eg*; eiddew *eg* ***Hedera helix***

J

Japanese larch llarwydden Japaneaidd *eb* llarwydd Japaneaidd ***Larix kaempferi***

Japanese red cedar cochwydden Japaneaidd *eb* cochwydd Japaneaidd *Crytomeria japonica*

Judeich's Sächsische Bestandeswirtschaft (de) Dull rheoleiddio cynnyrch (a ffurfiolwyd gan Judeich) lle cyfrifir cynnyrch cynaliadwy mewn dwy ffordd: 1) swm y cyfeintiau cwympo yn y cellïoedd (cynnyrch coedwriaethol); 2) arwynebedd y cwympo a chyfeintiau cysylltiedig yn ô y dosbarthiad dosbarthiadau oed. *Cyfystyr(on)* area and volume control combined method

juvenile wood pren ifanc *eg* Craidd mewnol o sylem mewnol o gwmpas y bywyn, lle mae'r celloedd yn llai a/neu wedi datblygu llai o ran strwythur nag yn y sylem allanol.

K

Kleinbestand (de) Ardal fach, yn cael ei gorchuddio â phrif rywogaeth wahanol neu rywogaeth o oed gwahanol a/neu ddosbarth cynnyrch gwahanol i'r ardal gyfagos, ond nad yw'n cael ei hystyried i fod yn uned reoli ar wahân. *Cyfystyr(on)* substand

Kleinflächenwirtschaft (de) System reoli yn seiliedig ar unedau rheoli bach (<0.5 ha); yn gyffredinol, gweithgareddau coedwigaeth anniwydiannol.

knot-free di-gainc *ans* Am goed neu gellïoedd, lle mae rhannau isaf y cyffion yn rhydd o ganghennau, oherwydd tocio naturiol neu artiffisial, gan roi pren sy'n

rhydd o geinciau. Hefyd y pren a dyfir felly.

L

land appraisal gwerthusiad tir *eg* gwerthusiadau tir. Prisiant tir at ddibenion amaethyddol, coedwigaeth neu arall (neu gyfuniad ohonynt).

land value gwerth tir *eg* Gwerth y tir (lle ceir adnodd neu lle mae cynllun i leoli adnodd), fel sy'n cael ei fesur gan bris y farchnad.

landing llwyfan llwytho *eg* llwyfannau llwytho. Unrhyw le ble mae pren crwn yn cael ei storio, ei ddidoli a'i hel at ei gilydd i'w gludo ymhellach, yn aml gyda'r dull cludo yn newid.

landscape management rheoli tirwedd *be* Datblygu, cynnal a diogelu'r tirwedd mewn ffordd wedi'i chynllunio.

landscape protection gwarchod tirwedd *be* Yr agwedd ar gadwraeth natur sy'n delio gyda diogelu, cynnal ac adfer y tirwedd.

land-use classification dosbarthiad defnydd tir *eg* Dosbarthiad y parseli gwahanol mewn rhanbarth ddaearyddol i gategorïau, yn ôl y defnydd a wneir ohonynt.

Lawson cypress cypreswydden Lawson *eb* cypreswydd Lawson *Chamaecyparis lawsoniana*

Leyland cypress cypreswydden Leyland *eb* cypreswydd Leyland *Cupressocyparis leylandii*

Lichtungszuwachs (de) Cynyddiad am fod mwy o olau o ganlyniad i agor celli allan.

line-plot inventory survey arolwg stocrestr plotiau llinell *eg* arolygon stocrestri plotiau llinell. Dull stocrestru sy'n defnyddio llinellau y mae plotiau samplu wedi'u gosod ar hyd-ddynt ar gyfyngau rheolaidd. Mae'r llinellau arolwg (h.y. trawsluniau) fel arfer yn gorwedd yn gyfochrog gyda'i gilydd ar gyfyngau rheolaidd ar draws y boblogaeth sy'n cael ei syrfeio.
Cyfystyr(on) line-plot survey

list sampling samplu rhestr *be* Dull o samplu lle mae pob uned samplu yn cael ei chynrychioli mewn rhestr gan newidyn ategol.

loading area ardal lwytho *eb* ardaloedd llwytho. Unrhyw le ble mae pren yn cael ei lwytho ar i ddulliau cludiant eraill.

local yield table tabl cynnyrch lleol *eg* tablau cynnyrch lleol. Tabl cynhyrchiant sy'n seiliedig ar ddata a gasglwyd o leoliad neu ranbarth penodol.

lodgepole pine pinwydden gamfrig *eb* pinwydd camfrig *Pinus contorta*

log boncyff *eg* boncyffion. Cyff coeden neu ran ohono yn y goeden sy'n sefyll, ond yn amlach hyd cyff neu gangen, ar ôl cwympo a dadganghennu.

log grading graddio boncyffion *be* Dosbarthu a didoli boncyffion neu gyffion yn ôl ansawdd, gwerth, defnydd neu swyddogaeth bosibl. *Cyfystyr(on)* grading of logs; grading of stems

log sorting didoli boncyffion *be* Arwahaniad boncyffion neu gyffion wedi'u cwympo i gasgliadau (graddfa), er mwyn cael pris uwch am y cyfan wrth eu gwerthu.

London plane planwydden Llundain *eb* planwydd Llundain *Platanus x acerifolia*

Lorey's mean height uchder cymedrig Lorey *eg* Taldra cymedrig arwynebedd gwaelodol celli wedi'i bwysoli. Mewn sampl pwyntiau hwn yw taldra cymedrig rhifyddol y coed sy'n cael eu cyfrif.

Loshieb (de) Cwympo ac aildyfu celli fesul stribed, i amddiffyn celli arall sy'n cael ei chysgodi gan yr un arall ac sydd yn rhy hen i fedru gwella ei sefydlogrwydd.

lowland beech-yew woodland coetir ffawydd-yw yr iseldir *eg* coetiroedd ffawydd-yw yr iseldir. Coedwigoedd ble mae ffawydd drechaf, gydag yw, a rhywogaethau eraill yn cynnwys onnen, derwen, neu gerddinen wen, yn dibynnu ar y math o bridd. Fe'u ceir yn bennaf yn ne Lloegr a de Cymru – nid ystyrir ffawydd yn frodorol yn bellach i'r gogledd. Maent yn bwysig i nifer o rywogaethau prin, yn cynnwys y ffwng cap tyllog y cythraul.

lowland mixed broadleaved woodland coetir llydanddail cymysg yr iseldir *eg* coetiroedd llydanddail cymysg yr iseldir. Mae'r rhan fwyaf o'r coetir lled-naturiol yn ne a dwyrain Lloegr, ac yn rhannau o iseldir Cymru a'r Alban yn dod o fewn y categori hwn. Mae'r dderwen yn gyffredin, ar y cyd â bron unrhyw gyfuniad arall o rywogaethau brodorol.

low-risk forest management rheoli coedwigaeth risg bach *be* Y dewis o arferion coedwriaethol a rheolaethol sydd wedi'u hanelu at leihau'r risg i ecosystem y goedwig a gwellai'i chynaliadwyedd, e.e. y dull lleiafswm safonau diogel.

M

maidenhair tree coeden ginco *eb* coed ginco *Ginkgo biloba*

main assortment prif gymysgedd *eg* prif gymysgeddau. 1) Y cymyledd coed sy'n ffurfio'r cyfartaledd mwyaf, o ran nifer neu gyfaint, o gyfanswm nifer neu gyfaint y cyffion a gynaeafwyd; 2) Y cymysgedd a gynhyrchwyd o ddewis o flaen detholiadau cymysg eraill. *Cyfystyr(on)* main category

main crop prif gnwd *eg* prif gnydau. 1) Y cnwd neu'r gelli sydd ar ôl wedi teneuo; 2) mewn cnydau neu gellïoedd rheolaidd, y rhan honno o'r stoc sy'n cael ei chadw ar ôl cwympo coed ar ganol cylch. *Cyfystyr(on)* principal crop; main stand; principal stand

main species prif rywogaeth *eb* prif rywogaethau. Y rhywogaeth sy'n cyfrif fwyaf yng nghoedwriaeth coedwig neu gelli gymysg, naill ai am ei gwerth economaidd neu amddiffynnol. *Cyfystyr(on)* principle species

managed forest coedwig dan reolaeth *eb* coedwigoedd dan reolaeth. (Tir) coedwig sy'n cael ei reoli dan gynllun rheoli coedwig gan ddefnyddio technoleg coedwigaeth. *Cyfystyr(on)* managed forest land

management objective amcan rheoli *eb* amcanion rheoli. Datganiad cryno (amser-benodol) o ganlyniadau mesuradwy wedi'u cynllunio sy'n cyfateb i dargedau a sefydlwyd ymlaen llaw i gael y canlyniad a ddymunir. Diben y bwriedir rheoli coedwig er ei fwyn, e.e. cynhyrchu coed, gwneud y mwyaf o elw posibl, mwynderau, cadwraeth, gwarchodaeth, etc.

management plan revision adolygu cynllun rheoli *be* Ailarchwiliad, cywiriad, diweddariad, gwelliant neu newid wedi'i amserlennu i gynllun rheoli ar ddiwedd cyfnod cynllunio. *Cyfystyr(on)* working plan revision

management planning unit uned cynllunio rheoli *eb* unedau cynllunio rheoli. Uned o dir wedi'i diffinio sy'n ffurfio'r ardal sylfaenol at ddibenion cynllunio a rheoli.

management prescriptions rhagnodiadau rheoli *ell* Datganiadau o arferion rheoli a dwyseddau, yn seiliedig ar gyflwr y cellïoedd, y gyfraith, ac amcanion y perchennog, canllawiau amgylcheddol, dangosyddion economaidd ac ar arbenigaeth coedwigaeth. *Cyfystyr(on)* management instructions; management regulations

management records cofnodion rheoli *ell* Casgliad o ddata (h.y. ffurflenni rheoli) wedi'u trefnu ar gyfer gwahanol lefelau rheoli coedwig, yn cynnwys canlyniadau stocrestri coedwig, rhagolygon a chynllunio rheolaethol, a gweithrediadau a gwblhawyd. *Cyfystyr(on)* control book

manna ash onnen fanna *eb* ynn manna *Fraxinus ornus*

map of harvest operations map o weithrediadau cynaeafu *eg* mapiau o weithrediadau cynaeafu. Gwybodaeth sy'n cael ei dangos ar ffurf map yn ymwneud â gweithgareddau cynaeafu a gynlluniwyd, e.e. lleoliad yr ardaloedd cwympo, cyfeiriad y cwympo a'r tynnu allan, mynediad ar hyd ffyrdd a lleoliadau glanfeydd, etc., yn aml wedi'i osod dros unedau gweinyddol (eraill). *Cyfystyr(on)* harvest plan map

maritime pine pinwydden arfor *eb* pinwydd arfor *Pinus pinaster*

mast ffrwythau coed *ell* Ffrwythau coed o'u hystyried fel bwyd ar gyfer da byw a rhai mathau o fywyd gwyllt (ac ar gyfer aildyfu'r coed eu hunain).

mast year blwyddyn doreithiog *eb* blynyddoedd toreithiog. Blwyddyn lle mae'r coed yn cynhyrchu llawer iawn o ffrwythau coed.

mature stand celli aeddfed *eb* cellïoedd aeddfed. Coed neu gelli o oed a maint digonol i fedru cael eu cynaeafu.

mean annual increment cynyddiad blynyddol cymedrig *eg* cynyddiadau blynyddol cymedrig. Y cynnyrch ar oed penodol, o'u rannu gyda'r oed hwnnw.

mean basal area tree coeden arwynebedd gwaelodol cymedrig *eb* coed arwynebedd gwaelodol cymedrig. Coeden sydd ag arwynebedd gwaelodol hafal i gyfartaledd y gelli lle mae'n tyfu.

mean dbh according to the (Weise's) 40% rule dbh cymedrig yn ôl rheol 40% (Weise) *eg* DBH coeden mewn dosbarthiad amlder diamedrau wedi'i leoli ar 40% o gyfanswm y nifer, yn ôl o'r goeden dbh fwyaf.

mean diameter diamedr cymedrig *eg* diamedrau cymedrig. 1) Y diamedr sy'n cyfateb i arwynebedd gwaelodol cymedrig grŵp o goed neu gelli (h.y. y cymedr cwadratig); 2) defnyddir weithiau ar gyfer diamedr cyfartalog geometrig grŵp o goed neu gelli. *Cyfystyr(on)* average diameter

mean gross increment cynyddiad crynswth cymedrig *eg* cynyddiadau crynswth cymedrig. Cynyddiad blynyddol cyfartalog cyfanswm oed y gelli fel sy'n cael ei gyfrif o groniant a mewndwf plws marwoldeb, wedi'i rannu gan yr oed.

mean tree coeden gymedrig *eb* coed cymedrig. Coeden sy'n cynrychioli'r cyfartaledd ar gyfer grŵp o goed mewn unrhyw ddosbarth neu gelli.

measurement location lleoliad mesur *eg* lleoliadau mesur. Y safle lle mae mesuriad yn cael ei gymryd, e.e. canol darn o dir, uchder y frest, etc.

measurement mark nod mesur *eg* nodau mesur. Marc tymor hir er mwyn adnabod pwynt mesur yn y tir neu ar goed. *Cyfystyr(on)* permanent mark

median dbh dbh cymedrig *eg* DBH y goeden ar y nod 50% yn nosbarthiad amlder arwynebedd gwaelodol y gelli.

median height uchder cymedrig *eg* Taldra'r goeden ar y nod 50% yn nosbarthiad arwynebedd gwaelodol y gelli.

mensuration mesuriad *eg* mesuriadau. 1) Damcaniaeth dulliau mesur coed sy'n sefyll, coed wedi'u cwympo, a rhannau coed, a cellïoedd cyfan. *Cyfystyr(on)* **dendrometry.** 2) Casglu data meintiol a/neu ansoddol ar goed yn sefyll neu wedi'u cwympo), h.y. mesur a phennu ffurf, cyfaint, twf a datblygiad coed a chellïoedd unigol, a dimensiynau eu cynnyrch. *Cyfystyr(on)* **tree measurement**

merchantable timber increment cynyddiad coed gwerthadwy *eg* cynyddiadau coed gwerthadwy. Y cynnydd yng nghyfaint y rhannau hynny o goeden neu'r cnwd y gellir ei fasnachu dan amgylchiadau economaidd penodol, fel arfer lleiafswm 7cm diamedr dros y rhisgl, ond gall hyn amrywio yn ôl y rhanbarth.

merchantable timber volume cyfaint pren gwerthadwy *eg* cyfeintiau pren gwerthadwy. Y swm o bren crwn mewn coeden unigol neu gelli sy'n addas ar gyfer ei marchnata dan amodau economaidd penodol.

method of control dull rheoli *eg* dulliau rheoli. Ffordd o reoli sy'n seiliedig ar ddilyniant agos o stocrestri dwys, rhifiad cyflawn neu sampl, o'r stoc tyfu, er mwyn cadw golwg fanwl ar gynnydd dosbarthiad y dosbarth maint (ac felly gynyddiad) yn deillio o driniaeth goedwriaethol a chynaeafu. *Cyfystyr(on)* **control method**

mid-diameter diamedr canol *eg* diamedrau canol. 1) Am goeden sy'n sefyll, diamedr y cyff hanner taldra'r goeden; 2) am gyff neu foncyff wedi cwympo, y diamedr hanner ffordd ar ei

hyd neu wedi'i gyfrifo o ddiamedrau deupen uchaf ac isaf y boncyff.

mid-girth cylchfesur canol *eg* cylchfesurau canol. 1) Am goeden sy'n sefyll, cylchedd y cyff hanner ffordd i fyny; 2) am gyff neu foncyff sydd wedi cwympo neu wedi cael ei dorri, y cylchedd hanner ffordd ar ei hyd.

Midland hawthorn draenen wen lefn *eb* draen gwyn llyfn *Crataegus laevigata*

minimum dbh lleiafswm dbh *eg* Mesuriad lleiaf dbh y mae coed yn cael eu cynnwys a'u cofnodi mewn arolwg neu stocrestr.

mining timber prennau pwll (glo) *ell* Coed a gynhyrchir i'w ddefnyddio mewn gweithfeydd a phyllau glo. *Cyfystyr(on)* **pit wood**

mixed woodland coetir cymysg *eg* coetiroedd cymysg. Coedwig neu goetir yn cynnwys rhywogaethau gwahanol naill ai rhwng neu o fewn ardaloedd penodedig. *Cyfystyr(on)* **mixed forest; mixedwood(s) [Ca]**

mobile reserve gwarchodfa symudol *eb* gwarchodfeydd symudol. Coed wrth gefn sydd wedi cronni dros holl ardal y goedwig drwy dorri llai na'r cynyddiad neu'r raddfa dwf.

monitoring monitro *be* Casglu gwybodaeth dros amser, fel arfer ar sail samplu dryw fesur newid mewn dangosydd neu newidyn, i bennu pa effeithiau mae triniaethau rheoli adnoddau wedi'i gael ac i asesu p'un ai a ddylid newid triniaethau.

monkey-puzzle pinwydden Chile *eb* pinwydd Chile *Araucaria araucana* *Cyfystyr(on)* Chile pine

monoculture tyfu uncnwd *be* Codi cellïoedd neu gnydau o un rhywogaeth, fel arfer o'r un oed; hefyd celli neu gnwd a godwyd felly.

Monterey cypress cypreswydden Monterey *eb* cypreswydd Monterey *Cupressus macrocarpa*

Monterey pine pinwydden Monterey *eb* pinwydd Monterey *Pinus radiata*

mountain forest coedwig fynydd *eb* coedwigoedd mynydd. Coedwig sydd wedi'i lleoli mewn ardal fynyddig.

multiphase sampling samplu amlwedd *be* Gweithdrefn samplu yn seiliedig ar fesur dro ar ôl tro er mwyn sefydlu tueddiadau a chyfraddau twf. *Cyfystyr(on)* multi-phase sampling

multiple-use management rheolaeth defnydd lluosog *eb* Rheoli coedwigoedd i fodloni amrywiaeth eang o anghenion (dynol) o ddefnyddiau crai i fuddiannau mwy anodd eu cyfrif, heb amharu mwy nag sydd raid ar y tir. *Cyfystyr(on)* multi-use management

multi-storied stand celli aml-haen *eb* cellïoedd aml-haen. Celli lle mae dau ddosbarth neu fwy o daldra gwahanol iawn yn digwydd.

N

Nachanbau (de) Aildyfu artiffisial o fewn celli o oed canolig ar ôl i ddifrod difrifol ddigwydd i gelli.

national nature reserve gwarchodfa natur genedlaethol *eb* gwarchodfeydd natur cenedlaethol. Ardaloedd sy'n cynrychioli'r enghreifftiau gorau o wahanol fathau o gefn gwlad neu sy'n cynnwys cymunedau anarferol o blanhigion neu anifeiliaid neu nodweddion naturiol pwysig megis creigiau ar y wyneb neu geunentydd. Yn cael eu dynodi gan English Nature, Cyngor Cefn Gwlad Cymru neu Scottish Natural Heritage.

native Caledonian pinewoods coedydd pinwydd Caledonaidd brodorol *ell* Mae'r rhain yn weddillion y coedwigoedd cyntefig, a dyfai ar hyd a lled Ucheldiroedd yr Alban, gyda choed pinwydd yr Alban yn fwyaf niferus. Ymysg y rhywogaethau eraill yr oedd bedw, cerddin, gwern a helyg. 4,000 o flynyddoedd yn ôl, mae'n debyg fod y coetir hwn yn gorchuddio 1.5 miliwn hectar. Erbyn hyn mae'n gorchuddio can gwaith yn llai na hynny.

native tree species rhywogaethau coed brodorol *ell* Rhywogaethau o goed sydd wedi cyrraedd Prydain yn dilyn oes ddiwethaf yr iâ heb gymorth dyn.

natural forest coedwig naturiol *eb* coedwigoedd naturiol. Coedwig sy'n cynnwys coed sy'n frodorol i ardal neu ranbarth penodol, sydd heb ei newid yn fawr o ran cyfansoddiad na strwythur heblaw am ymyrraeth ffisegol.

natural pruning tocio naturiol *be* Nodwedd rhai rhywogaethau coed arbennig o fwrw canghennau marw. *Cyfystyr(on)* self pruning

natural regeneration aildyfu naturiol *be* Ailsefydlu celli neu gnwd coedwig drwy fod hadau yn hau eu hunain, neu drwy brysgoed neu sugnolion gwraidd. Hefyd y cnwd a geir drwy hynny.

natural selection dethol naturiol *be* Proses yn ffafrio goroesiad organebau sydd wedi addasu orau i'w hamgylchedd.

natural(ness) naturioldeb *eg* Dosbarthiad cellïoedd neu goedwigoedd yn ôl pa mor agos maent yn ymdebygu i natur. *Cyfystyr(on)* close(ness) to nature

n-Baum-Stichprobe (de) Dull samplu lle mae nifer penodol o goed a'u pellter i'r pwynt samplu yn cael ei fesur ar bob pwynt samplu, e.e. dull samplu 6 coeden Prodan.

near to nature forest coedwig agos at natur *eb* coedwigoedd agos at natur. Coedwig sy'n cael ei rheoli i fod mor debyg ag y mae modd i goedwig naturiol. *Cyfystyr(on)* naturally managed forest

noble fir ffynidwydden urddasol *eb* ffynidwydd urddasol *Abies procera*

non-productive forest land tir coedwig anghynhyrchiol *eg* tiroedd coedwig anghynhyrchiol. Yr arwynebedd o dir mewn coedwig, nad yw o dan orchudd coed, e.e. ffyrdd, llefydd agored, adeiladau, - llefydd glanio, etc.

Cyfystyr(on) non forested land [Ca]; unstocked area

Nootka cypress cypreswydden Nootka *eb* cypreswydd Nootka *Chamaecyparis nootkatensis*

normal age class distribution dosraniad dosbarthiadau oed normal *eg* Y dosbarthiad dosbarth oed sy'n gysylltiedig â choedwig normal.

normal forest coedwig arferol *eb* coedwigoedd arferol. Delfryd gysyniadol o goedwig sy'n cynnwys cellïoedd unoed wedi'u stocio'n llawn sy'n cynrychioli dosbarthiadau oed cytbwys megis am gyfod cylchdro penodol, mae modd cynaeafu un dosbarth oed bob blwyddyn. Ar ddiwedd y cylchdro, byddai'r cellïoedd a gynaeafwyd gyntaf yn y cylch yn barod ar gyfer eu cynaeafu eto. *Cyfystyr(on)* ideal forest

normal forest model model coedwig arferol *eg* modelau coedwig arferol. Model coedwigaeth damcaniaethol (mathemategol) lle mae pob dosbarth oed wedi'u cynrychioli ar arwynebeddau cyfartal o gynhyrchiant cyfartal. Mae'n bodloni egwyddor cynnyrch cynaliadwy gan ddefnyddio system llwyrgwympo ac uncnwd. *Cyfystyr(on)* ideal forest model

normal growing stock stoc tyfu arferol *eg* stociau tyfu arferol. Cyfanswm cyfaint y stoc sy'n tyfu, h.y. cyfanswm cyfaint y coed mewn coedwig sydd wedi'i stocio'n llawn gyda dosbarthiad arferol o ddosbarthiadau oed ar gyfer cylchdro penodol.

normal stocking stocio arferol *be* Lefel stocio yn unol â gofynion coedwig arferol. *Cyfystyr(on)* full stocking

Norway maple masarnen Norwy *eb* masarn Norwy *Acer platanoides*

Norway spruce sbriwsen Norwy *eb* sbriws Norwy *Picea abies*

number of stems nifer y cyffion *eg* Nifer y coed mewn celli neu boblogaeth; fel cyfanswm neu ar sail ardal wrth ardal. *Cyfystyr(on)* number of trees

nurse species rhywogaeth feithrinol *eb* rhywogaethau meithrinol. Coeden, grŵp, neu gnwd o goed, llwyni neu blanhigion eraill, sydd naill ai'n digwydd yn naturiol neu a gyflwynwyd i'r goedwig, a ddefnyddir i feithrin, gwella goroesiad, neu wella ffurf coeden neu gnwd mwy dymunol yn ifanc drwy eu diogelu rhag rhew, darheuliad, gwynt, neu ymosodiad gan bryfed.

nursery meithrinfa *eb* meithrinfeydd. Darn o dir a neilltuwyd ar gyfer magu coed ifanc, gan mwyaf ar gyfer eu plannu allan. *Cyfystyr(on)* tree nursery; forest nursery

O

objective function ffwythiant amcan *eg* ffwythiannau amcan. Mynegiad mathemategol a ddefnyddir mewn rhaglennu mathemategol yn cynnwys cyfraniadau posibl yr holl ddewisiadau eraill i'r gwerth o wneud y mwyaf o amcan neu amcanion.

old growth hen dyfiant *eg* Celli neu goedwig o goed aeddfed neu oraeddfed sydd heb eto gael eu heffeithio gan weithgaredd dynol.

olive olewydden *eb* olewydd *Olea europea*

opening-up of a stand agor allan celli *be* Lleihau dwysedd y canopi yn sylweddol, e.e. drwy docio, cwympo neu gwenwyno (h.y. ail-leoli cemegol) coed sydd wedi'u dethol, neu yn naturiol drwy blaen, afiechyd, sychdwr, marwoldeb etc.

operational gweithredol *ans* 1) Yn cymryd rhan mewn gweithred(oedd); 2) yn medru gweithredu.

operational (forest) planning cynllunio gweithredol (coedwigaeth) *be* Cynllunio tymor byr, blynyddol yn aml, yn fframwaith amcanion tymor hir y gorfforaeth a thargedau tymor canol (cynllun rheoli).

operational research [UK] ymchwil gweithredol *eg* Y ffordd wyddonol o fynd ati i wneud penderfyniadau sy'n cynnwys gweithredu systemau corfforaethol. *Cyfystyr(on)* operations research [USA]; management science

order trefn *eb* Dilyniant, olyniaeth, dull o ddilyn, trefn reolaidd, cyflwr lle mae pob rhan o uned yn ei le cywir, taclusrwydd, cyflwr normal neu iach neu effeithiol.

orthophoto map map orthoffoto *eg* mapiau orthoffoto. Map a gynhyrchwyd ar sail orthoffotograffau.

orthophotograph orthoffotograff *eg* orthoffotograffau. Ffotograff a geir o'r tafluniad orthogonol (h.y. llorweddol) o lun o'r awyr sydd wedi'i gyfeiriadu'n gywir. Mae orthoffoto yn rhydd o ddadleoliadau tirwedd a gogwydd.

overcut(ting) gordorri *be* Cynaeafu symiau o goed (dro ar ôl tro) uwchben faint y mae hawl i'w torri, gyda'r canlyniad bod cyfalaf y stoc sy'n tyfu yn lleihau. *Cyfystyr(on)* overfelling

overhead release felling cwympo i deneuo copaon y coed *be* Agor canopi celli aeddfed i ddarparu gwell amodau golau ar gyfer aildyfu.

overmature stand celli oraeddfed *eb* cellïoedd goraeddfed. Celli (fel arfer unoed) sy'n cynnwys coed o oed lle mae eu hymnerth yn dirywio ac lle maent felly yn mynd yn llai defnyddiol ar gyfer cynhyrchu pren, fel arfer celli sydd y tu hwnt i oed y cynyddiad cyfaint neu werth mwyaf.

overstor(e)y troshaen *eb* troshaen. Haen uchaf llystyfiant, neu'r elfen honno o'r coed mewn coedwig lle ceir mwy nag un haen sy'n ffurfio haen uwch neu uchaf y canopi. *Cyfystyr(on)* uppermost layer; upper stor(e)y

overwood trosgoed *ell* Haen uchaf coedwig uchel ddwy haen, neu unrhyw gnwd lle ceir dwy haen brigdyfiant gwahanol, naill ai dros dro neu yn barhaol; e.e. coed sy'n dwyn had dros goed sy'n ail dyfu, coed uncyff dros brysgoed. *Cyfystyr(on)* upper crop

P

pannage mesobr *eg* mesobrau. Yr arfer traddodiadol o ollwng moch i mewn i goedwig i fwydo, yn fwyaf cyffredin ar fes.

parcel parsel *eg* parseli. Darn o dir y mae perchnogaeth, lleoliad, maint, etc. yn cael eu cofnodi mewn cofrestr dir neu ar fap y stent. *Cyfystyr(on)* land parcel

park parc *eg* parciau. O'r gair Saesneg "Park" a oedd ag un ystyr o dir caeëdig ar gyfer cadw ceirw.

park forest coedwig barc *eb* coedwigoedd parc. Coedwig lle mae'r coed yn sefyll ar wahân i'w gilydd neu mewn grwpiau ar eu pen eu hunain; coedwig agored iawn lle mae llawr coedwig nodweddiadol wedi'i ddisodli gan fathau gwahanol o wair. *Cyfystyr(on)* forest park [Au]

patch darn *eg* darnau. 1) Mewn rheolaeth coed, rhan fach o'r gelli neu'r goedwig; 2) mewn ecoleg tirwedd, elfen ecosystem (e.e. ardal o lystyfiant) sy'n gymharol homogenaidd yn fewnol ac sy'n wahanol i elfennau oddi amgylch.

peeling rhisglo *be* Symud y rhisgl oddi ar goeden neu foncyff. *Cyfystyr(on)* bark removal; debarking; barking

percent forest cover gorchudd coedwig y cant *eg* Maint yr ardal dan goedwig fel cyfartaledd o'r cyfanswm arwynebedd (tir).

period cyfnod *eg* cyfnodau. Hyd y cyfnod y mae rhagnodion manwl wedi'u gosod i lawr mewn cynllun rheoli neu gynllun gwaith. *Cyfystyr(on)* planning period

periodic annual increment cynyddiad blynyddol cyfnodol *eg* cynyddiadau blynyddol cyfnodol. Y cynyddiad blynyddol cymedrig am gyfnod penodol, yn aml 5, 10 neu 15 mlynedd.

periodic block bloc cyfnodol *eg* blociau cyfnodol. Ardal neu ardaloedd coedwig sydd wedi'u gosod o'r neilltu i gael eu haildyfu neu eu trin mewn ffordd arall dros gyfnod penodol.

periodic increment cynyddiad cyfnodol *eg* cynyddiadau cyfnodol. Y cynyddiad yn ystod unrhyw gyfnod penodedig, yn aml 5, 10 neu 20 mlynedd.

periodic inventory stocrestr gyfnodol *eb* stocrestri cyfnodol. Ail-wneud stocrestr bob yn hyn a hyn er mwyn gweld patrymau a rheoli datblygiadau.

periodic mean annual increment cynyddiad blynyddol cymedrig cyfnodol *eg* cynyddiadau blynyddol cymedrig cyfnodol. Y cynyddiad blynyddol cymedrig cyfnodol fel y caiff ei gyfrifo o fesuriadau mynych a chyfeintiau cynaeafu, yn cael ei rannu wrth y cyfnod amser.

photographic map map ffotograffig *eg* mapiau ffotograffig. Map a gynhyrchwyd neu a luniwyd o ddelweddau ffotograffau o'r awyr. *Cyfystyr(on)* photo map; photomosaic

physiological maturity aeddfedrwydd ffisiolegol *eg* Term llac ar gyfer y cyfnod lle mae coeden neu blanhigyn arall wedi cyrraedd ei ddatblygiad llawn, ac yn cynhyrchu hadau i'r eithaf.

pilot survey arolwg peilot *eg* arolygon peilot. Arolwg cychwynnol, graddfa fach, arbrofol, gyda'r canlyniadau yn cael eu defnyddio i ddiffinio a mireinio manylion y prif arolwg. *Cyfystyr(on)* pilot inventory

pioneer species rhywogaeth arloesol *eb* rhywogaethau arloesol. Rhywogaeth sy'n medru aildyfu'n naturiol o fewn ardaloedd sydd wedi'u tarfu'n ddirfawr, yn aml mewn niferoedd mawr a thros ardaloedd mawr, ac yn aml yn parhau hyd nes iddynt gael eu disodli gan rywogaethau eraill wrth i ddilyniant ecolegol fynd yn ei flaen. *Cyfystyr(on)* pioneer

plan of operations cynllun gweithrediadau *eg* cynlluniau gweithrediadau. Gwaith coedwig sy'n angenrheidiol er mwyn gwireddu'r cynllun rheoli.

plan of silvicultural operations cynllun gweithrediadau coedwriaeth *eg* cynlluniau gweithrediadau coedwriaeth. Datganiad ar ffurf tabl yn dangos trefn a maint yr holl waith coedwriaethol sydd i'w wneud mewn un flwyddyn neu fwy. Mae'r cynlluniau hyn wedi'u seilio ar ragnodiadau'r cynllun rheoli, lle mae un yn bod, neu fel arall ar ddarpariaeth gyffredinol.

planning period cyfnod cynllunio *eg* cyfnodau cynllunio. Hyd yr amser y mae cynllun (rheoli) wedi'i greu ar ei gyfer. *Cyfystyr(on)* forest management period; working plan period

plantation planhigfa *eb* planhigfeydd. Un neu fwy o gellïoedd, cnydau neu goedwigoedd, yn ganlyniad i aildyfu artiffisial (ac fel arfer o'r un oed).

plantation management rheoli planhigfa *be* Rheoli coedwigoedd a wnaed gan ddynion, a sefydlwyd naill ai drwy blannu neu hadu'n artiffisial, yn aml gyda'r (prif) amcan o gynhyrchu coed. *Cyfystyr(on)* plantation forest management

plantation on ancient woodland site (PAWS) planhigfa ar safle coetir hynafol *eb* planhigfeydd ar safle coetir hynafol. Coedwig hynafol ble mae'r coed brodorol wedi'u torri a'r safle wedi'i ailblannu, â choed anfrodorol fel arfer.

planting plannu *be* Sefydlu coed drwy osod eginblanhigion, trawsblaniadau, neu doriadau yn y tir neu'r pridd er mwyn iddynt wreiddio a thyfu.

planting plan cynllun plannu *eg* cynllun plannu. Cynllun ar gyfer ardal i gael ei phlannu, yn dangos lleoliad cyffredinol blociau, adrannau, isadrannau, breciau rhag tân a system ffyrdd, gan ragnodi'r ardaloedd a'r rhywogaethau i gael eu plannu bob blwyddyn ynghyd â'r dull plannu ac weithiau hefyd y ffordd o baratoi a sefydlu'r safle. *Cyfystyr(on)* afforestation plan; establishment plan

planting space gofod plannu *eg* Y pellter rhwng coed wedi'u gosod allan mewn planhigfa, neu sy'n sefyll mewn cnwd. Yn aml yn cael ei roi fel y pellter rhwng rhesi ac o fewn rhesi, e.e. 2 m wrth 2 m. *Cyfystyr(on)* planting distance; spacing of plants; espacement

plus tree coeden wych *eb* coed gwych. Ffenoteip sy'n cael ei farnu (ond heb ei brofi drwy brawf) i fod yn anarferol o well mewn rhyw ansawdd neu faint, e.e. cyfradd dwf eithriadol, arferol twf dymunol, dwysedd pren uchel, i weld yn gwrthsefyll clefydau ac ymosodiad gan bryfed yn rhyfeddol neu yn gwrthsefyll ffactorau gwrthwynebus eraill yn yr amgylchedd. *Cyfystyr(on)* select tree

point sampling samplu pwyntiau *be* Dull samplu (a ddatblygwyd gan Bitterlich) lle, ar gyfer bob arsylwad, mae arwynebedd y plot samplu yn cael ei addasu yn awtomatig ar gyfer maint y mesuryn/mesurynnau a fesurir. *Cyfystyr(on)* variable (radius) plot sampling; plotless sampling

pole stage cyfnod hirgyff *eg* Cyfnod yn natblygiad cnwd, celli neu goedwig, rhwng y cyfnod dryslwyn a'r cyfnod coed, pan fydd cyfradd twf y taldra yn dechrau arafu.

pollarding brigdocio *be* Ffurf draddodiadol o reoli, a oedd yn golygu torri coed llydanddail uwchben cyrraedd anifeiliaid sy'n pori. Byddai'r goeden yn tyfu nifer o gyffion newydd y gellid eu torri eto mewn ychydig flynyddoedd, gan felly ddarparu cyflenwad di-baid o goed, i bob diben roedd prysgoedio yn uwch na'r ddaear yn golygu bod modd cyfuno cynhyrchu pren â phori (porfa goediog neu goed mewn gwrychoedd).

potential natural (forest) vegetation llystyfiant naturiol potensial (coedwig) *eg* Y gymuned o blanhigion fyddai'n ymsefydlu petai pob dilyniant yn cael ei gwblhau yn ei drefn heb ymyrraeth gan bobl dan amodau amgylcheddol presennol. *Cyfystyr(on)* potential natural (forest) community

preparatory cut(ting) torri paratoadol *be* Cwympiad sy'n cael ei wneud, fel arfer tua diwedd y cylchdro, dan system coedwig uchel, gyda'r amcan o greu amgylchiadau sy'n ffafriol i gynhyrchu hadau ac aildyfiant naturiol, e.e. yn y system coed cysgodol cyn y cwympiadau aildyfu. *Cyfystyr(on)* preparatory felling

prescribed yield cynnyrch rhagnodedig *eg* Y cyfaint sydd i gael ei symud o'r goedwig dros y cyfnod cynllunio fel y'i dangosir mewn cynllun rheoli. *Cyfystyr(on)* **prescribed cut**

preservation order gorchymyn cadwraeth *eg* gorchmynion cadwraeth. Dyfarniad gan asiantaeth reolaethol sy'n gwahardd cwympo a defnyddio cynnyrch coed mewn ardal. *Cyfystyr(on)* **exploitation ban**

Pressler's method of height determination dull Pressler o bennu uchder *eg* Dull hanesyddol (nas arferir mwyach) o sefydlu taldra coeden.

pre-thicket cyn-ddryslwyn *eg* cyn-ddryslwyni. Cyfnod yn natblygiad cnwd, cell neu goedwig, rhwng y cyfnod sefydlu a'r cyfnod dryslwyn, yn cael ei nodweddu gan gychwyn cau'r canopi a chyn i'r canopi ddechrau codi.

primary woodland coetir primaidd *eg* coetiroedd primaidd. Coetir sy'n weddill o'r coed gwyllt gwreiddiol, ac nad yw erioed wedi'i glirio, er y gallai fod wedi'i reoli.

principal species prif rywogaeth *eb* prif rywogaethau. Rhywogaeth sy'n ganolbwynt pennaf coedwriaeth coedwig gymysg, naill ai oherwydd ei gwerth economaidd neu ei gwerth amddiffynnol.

product summary [trans.] crynodeb cynnyrch *eb* Gwybodaeth gryno ar y coed wedi'u cwympo a'u mesur, o ran maint, rhywogaeth, meintiau etc.

production cynhyrchu *be* Creu nwyddau a gwasanaethau gan ddefnyddio adnoddau coedwig gyda ffactorau cynhyrchu eraill. *Cyfystyr(on)* **forest production**

production planning cynllunio cynhyrchu *be* Cynllunio manwl i gael y deilliannau ffisegol o gelli neu goedwig, yn cyfeirio hefyd at drefn goedwriaethol y goedwig mewn gofod neu amser. *Cyfystyr(on)* **planning of production**

production target targed cynhyrchu *eg* targedau cynhyrchu. Y lefel cynhyrchu fel mae'n cael ei fynegi mewn cynllun.

production time amser cynhyrchu *eg* Y cyfnod amser sydd ei angen ar gyfer cynhyrchu cynnyrch coedwig arbennig, e.e. cyff i'w lifio, argaen. *Cyfystyr(on)* **productive time**

productive forest land tir coedwig cynhyrchiol *eg* tiroedd coedwig cynhyrchiol. Yr holl dir a ddefnyddir i gynhyrchu coed. *Cyfystyr(on)* **forested land [Ca]**

productivity index mynegai cynhyrchedd *eg* mynegeion cynhyrchedd. Cymhareb neu ryw rif arall yn deillio o gyfres o arsylwadau sy'n cael eu defnyddio fel dangosydd neu fesur o ba mor gynhyrchiol y mae rhywogaeth, e.e. uchder brig.

progressive shelterwood felling cwympo coed cysgodol cynyddol *be* Agor y canopi i ffurfio bylchau sydd wedi'u dosbarthu yn eithaf afreolaidd, sy'n cael eu ehangu gyda chwympiadau dilynol wrth i'r grwpiau o aildyfiant ddatblygu. *Cyfystyr(on)* **irregular shelterwood felling/cut(ting)**

proportional sampling samplu cyfrannol *be* Dull samplu lle mae tebygolrwydd dewis uned samplu yn gyfraneddol i newidyn sy'n berthnasol i amcan y samplu (e.e. pwynt samplu, samplu 3-P). *Cyfystyr(on)* **probability (of selection) proportional to size (PPS)**

protection belt strimyn gwarchod *eg* strimynnau gwarchod. Stribed o goed a/neu lwyni byw sy'n cael eu cadw gan mwyaf i ddarparu cysgod neu i leihau effeithiau gweithredoedd ar diroedd cyfagos, i wella gwerthoedd esthetig, neu fel yr arfer rheoli gorau. *Cyfystyr(on)* **protection strip; buffer strip; buffer zone**

protection forest coedwig warchod *eb* coedwigoedd gwarchod. Ardal, sydd wedi'i gorchuddio yn llwyr neu yn rhannol gan goed, sy'n cyflawni swyddogaethau gwarchod, e.e. yn cael rheoli yn bennaf i reoleiddio llif nentydd, cynnal ansawdd dŵr, lleihau erydiad, sefydlogi tywod sy'n drifftio neu weithio unrhyw ddylanwadau llesol eraill ar y goedwig.

protective forest declared by official notice [trans.] coedwig dan warchodaeth drwy rybudd swyddogol *eb* coedwigoedd dan warchodaeth drwy rybudd swyddogol. Term cyfreithiol am ardal sy'n destun gwarchodaeth drwy ddeddfwriaeth, rheoleiddiad neu bolisi defnydd tir. *Cyfystyr(on)* **Bannwald (de)**

pruning tocio *be* Symud ymaith yn ystyriol y canghennau ochr, yn agos at y cyff neu yn dynn wrtho, yn fyw neu yn farw, a changhennau arweiniol lluosog, o goeden sy'n sefyll, fel arfer un sy'n tyfu mewn planhigfa, er mwyn gwella'r goeden neu'i phren. Mae tocio byw neu wyrdd yn cyfeirio at symud canghennau byw, tocio marw yn cyfeirio at symud

canghennau marw. *Cyfystyr(on)* **artificial pruning**

pure stand celli bur *eb* cellïoedd pur. Celli, coedwig neu gnwd sy'n cynnwys fwy neu lai un rhywogaeth o goed. *Cyfystyr(on)* **pure forest; pure crop**

Q

quadratic mean diameter diamedr cymedrig cwadratig *eg* Y diamedr sy'n cyfateb i'r arwynebedd cymedrig gwaelodol; sef diamedr cymedrig y gelli yn seiliedig ar drosi'r dbh i arwynebedd gwaelodol, yn pennu'r goeden arwynebedd gwaelodol gymedrig, ac yn trosi ei harwynebedd gwaelodol yn ôl i dbh. *Cyfystyr(on)* **diameter of mean basal area tree**

quality increment cynyddiad ansawdd *eg* cynyddiadau ansawdd. Y cynnydd yn ansawdd coed unigol neu gelli, yn ystod cyfnod penodol. *Cyfystyr(on)* **increase in quality**

R

range management rheoli maes cyfrifoldeb *be* Celfyddyd a gwyddor plannu a chyfarwyddo defnyddio maes cyfrifoldeb fel ag i ddiogelu'r cyfanswm uchaf posibl o dda byw, llaeth, a/neu porthiant wedi'i dorri, ar y lefel uchaf o gynhyrchu cyfansawdd ag y dymunir, sy'n gyson gyda defnyddiau eraill a chadwraeth adnoddau naturiol.

rauli ffawydden rauli *eb* ffawydd rauli *Nothofagus procera* **Cyfystyr(on)** southern beech

recreational forest coedwig adloniadol *eb* coedwigoedd adloniadol. Coedwig sy'n cael ei rheoli yn bennaf i ddarparu cyfleusterau adloniadol.

red oak derwen goch *eb* derw coch *Quercus rubra*

refilling ail-lenwi *be* Ailstocio darnau o gnwd neu gelli sydd wedi methu drwy hau neu blannu eto. **Cyfystyr(on)** beating up; blanking; fill planting

reforestation duty dyletswydd ailgoedwigo *eb* Y gofyniad, fel sy'n cael ei fynegi yn y gyfraith neu drwydded gwympo coed, i ailgoedwigo tir coedwig lle mae'r coed wedi cael eu cwympo neu eu clirio fel arall. **Cyfystyr(on)** legal obligation to reforest

reforestation interval cyfwng ailgoedwigo *eg* Y cyfnod (sydd yn aml wedi'i gyfyngu drwy ddeddf) rhwng llwyrgwympo ac ailgoedwigo safle. **Cyfystyr(on)** regeneration interval

regeneration aildyfu *be* Y broses naturiol neu artiffisial o ailsefydlu gorchudd coed ar dir coedwig.

regeneration class dosbarth aildyfu *eg* dosbarthiadau aildyfu. Cyfanswm (arwynebedd) pob celli lle bydd cwympo coed aildyfol yn cael ei wneud yn ystod y cyfnod aildyfu.

regeneration cut(ting) torri i aildyfu *be* 1) Unrhyw symud coed gyda'r bwriad o gynorthwyo'r aildyfiant sydd eisoes yn bresennol neu i wneud aildyfu yn bosibl;

2) prif gwympiad dan system coed cysgodol (h.y. hadu, eilaidd a therfynol). **Cyfystyr(on)** regeneration felling

regeneration interval cyfwng aildyfu *eg* cyfyngau aildyfu. 1) Y cyfnod rhwng y toriad hadu a'r toriad terfynol ar unrhyw un ardal dan un o'r systemau coed cysgodol. 2) Yr amser rhwng y torri aildyfol cyntaf a'r cyfnod pan fydd dosbarth oed newydd wedi'i ailsefydlu'n llwyddiannus drwy ddulliau naturiol, plannu neu hadu uniongyrchol. **Cyfystyr(on)** regeneration period

regeneration target targed aildyfu *eg* targedau aildyfu. Y canlyniad sydd i fod i ddeillio o'r broses aildyfu yn ystod y cyfnod cynllunio.

regulation period cyfnod rheoleiddio *eg* cyfnodau rheoleiddio. Cyfnod y mae rheoleiddio coedwig i gael ei weithredu o'i fewn.

relascope realsgop *eg* realsgopau. Medrydd ongl a ddefnyddir mewn samplu pwynt, lle'r edrychir ar fandiau o led gwahanol drwy sylladur, gan roi onglau taflunio gwahanol. Mae gan y relasgop raddfeydd eraill a gall gael ei ddefnyddio at ddibenion eraill, e.e. amcangyfrif taldra coed, a diamedrau rhisgl allanol i fyny'r goeden. **Cyfystyr(on)** relascop; relaskop

relief tirwedd *eb* tirweddau. Y graddau o wahaniaeth topolegol mewn codiadau yn y tirwedd, h.y. cydffurfiad wyneb solet y ddaear o ystyried ei elfennau anwastad (codiadau, pantiau, llethrau) gyda'i gilydd.

remote sensing canfod o bell *be* Unrhyw dechneg caffael gwybodaeth neu ddata sy'n defnyddio technegau o'r awyr a/neu offer i bennu nodweddion darn o dir.

replacement value gwerth cyfnewid *eg* Yr amcangyfrif cost, ar y prisiau presennol, o roi coeden, celli neu goedwig newydd debyg o ran gwerth yn lle'r hen un, drwy brosesau tebyg i'r rhai a ddefnyddiwyd yn wreiddiol.

replanted ancient woodland coetir hynafol ailblanedig *eg* coetiroedd hynafol ailblanedig. Coetir hynafol sydd wedi'i glirio o leiaf unwaith a'i ailblannu â choed newydd (conwydd fel arfer i gymryd lle coed llydanddail). Yn gyffredinol mae hyn wedi digwydd dros y 200 mlynedd diwethaf.

replanting ailblannu *be* Ailsefydlu coedwig neu gelli ar ôl tân neu fethiant cnwd.

required sample size maint gofynnol sampl *eg* Y lleiafswm nifer unedau samplu sydd eu hangen i roi amcangyfrifon diduedd o baramedrau poblogaeth gyda lefel benodol o hyder a chanradd gwallau samplu, o ddeall y gall y boblogaeth a chynllun y samplu amrywio.

reserving of standards neilltuo coed uncyff *be* Cadw coed, maint hirgyff neu fwy, naill ai mewn dull gwasgaredig neu agregedig wedi'r cyfnod aildyfu, dan y dulliau llwyrgwympo, coeden hadu, coed cysgodol detholiad grŵp neu brysgoed, a'u cadw am ran o'r cylchdro nesaf neu'r cylchdro nesaf i gyd.

residual stand celli weddilliol *eb* cellïoedd gweddilliol. Celli sy'n cynnwys coed sy'n weddill wedi teneuo neu

gynhaeaf arall hanner ffordd. *Cyfystyr(on)* **main crop after thinning**

resilience gwytnwch *eg* Gallu celli neu ecosystem i wrthsefyll newid neu, fel mae'n cael ei newid, i ddatblygu grymoedd sy'n arwain yn ôl at y cyflwr gwreiddiol. Caiff ei asesu drwy edrych ar ffactorau megis codi a gostwng mewn poblogaeth, gwrthsefyll tarfiadau, cyflymder adferiad ar ôl tarfiad, a pharhad cyfansoddiad y gymuned. *Cyfystyr(on)* **ecological stability**

ride rhodfa *eb* rhodfeydd. Llwybr llydan neu ffordd drwy goedwig, a ddefnyddir i gael mynediad. Mae defnydd tir fwy a mwy arddwys yn y degawdau diweddar wedi arwain at golli llawer o gynefinoedd tir agored i fywyd gwyllt yng nghefn gwlad. O ganlyniad gall rhodfeydd mewn coedwigoedd hynafol fod yn gynefinoedd gwerthfawr, gan eu bod yn darparu cynefinoedd cyflenwol ar gyfer rhywogaethau ymylon coetir a thir agored, yn cynnwys llawer o flodau a glöynnod byw.

road network rhwydwaith ffyrdd *eg* rhwydweithiau ffyrdd. Trefniant gofodol isadeiledd ffyrdd a llwybrau (coedwig), o bosibl yn cael eu dosbarthu yn ôl priodweddau peiriannu, swyddogaeth a/neu ansawdd. *Cyfystyr(on)* **forest road system; forest road network**

robinia ffug-acasia *eb* ffug-acasias *Robinia pseudoacacia Cyfystyr(on)* **locust tree**

rotation cylchdro *eg* cylchdroeon. Y nifer o flynyddoedd sydd eu hangen i sefydlu a thyfu cnydau pren neu cellïoedd o'r un oed i gyflwr

46

aeddfedrwydd a bennwyd pan fydd cynaeafu yn digwydd. Yn achos cnwd neu gelli sydd heb fod o'r un oed, cyfartaledd nifer y blynyddoedd y mae coeden yn cael ei hystyried i fod yn aeddfed i gael ei chwympo neu ei chynaeafu ar ôl y cyfnod hwn. *Cyfystyr(on)* rotation length

rotation age oed cylchdro *eg* Oed adeg cynaeafu pan fydd yn cyd-fynd gyda'r cylchdro. Os nad yw'r oed yn cyd-daro gyda'r cylchdro, caiff ei alw yn oed cwympo.

rotation of maximum cash flow cylchdro llif arian mwyaf *eg* cylchdroeon llif arian mwyaf. Cylchdro'r llif. *Cyfystyr(on)* maximum cash

rotation of maximum income cylchdro incwm mwyaf *eg* cylchdroeon incwm mwyaf. Y cylchdro sydd yn cynhyrchu'r cynnyrch ariannol blynyddol net cymedrig mwyaf. *Cyfystyr(on)* rotation of the highest net income

rotation of maximum volume production cylchdro cynnyrch cyfaint mwyaf *eg* cylchdroeon cynnyrch cyfaint mwyaf. Y cylchdro sy'n cyd-daro gyda'r oed lle mae'r cynyddiad blynyddol cymedrig yn cyrraedd ei anterth, ac felly yn cynhyrchu'r defnydd mwyaf yr uned y flwyddyn.

rotation of the highest soil rent cylchdro y rhent pridd uchaf *eg* cylchdroeon y rhent pridd uchaf. Y gwerth a ddisgwylir. *Cyfystyr(on)* rotation of maximum land

rough estimate brasamcan *eg* brasamcanion. Mewn mesureg, mesuriad bras cyntaf nodwedd coeden neu gelli,

e.e. cyfaint ac ansawdd y pren sy'n sefyll. *Cyfystyr(on)* raw estimate

round wood pren crwn *eg* (Darnau o) gyffion coed, wedi'u diganghennu, gyda neu heb risgl.

round timber rowan criafolen *eb* criafol; cerddinen *eb* cerddin *Sorbus aucuparia* *Cyfystyr(on)* mountain ash

S

salvage cutting torri arbedol *be* Symud coed sydd wedi marw, yn marw, neu'n dirywio (e.e. am eu bod yn oraeddfed neu wedi'u difrodi yn sylweddol gan dân, gwynt, pryfed, ffyngau, neu asiantaethau niweidiol eraill) cyn i'w pren fynd yn ddiwerth. *Cyfystyr(on)* salvage felling; salvage logging

sample 1) sampl *eg* samplau. 2) samplu *be* 1) Enw: is-set o un neu fwy o'r unedau samplu y mae'r isboblogaeth wedi'i rhannu iddi, wedi'i dethol i gynrychioli'r boblogaeth a'i harchwilio i gael amcangyfrifon o nodweddion poblogaeth. 2) Berf: dethol unedau samplu a mesur neu gofnodi gwybodaeth a geir ynddynt i gael brasamcan o nodweddion poblogaeth neu isboblogaeth.

sample plot llain sampl *eb* lleiniau sampl 1) Uned neu elfen samplu o arwynebedd a siâp sy'n hysbys. 2) darn o dir mewn coedwig sydd wedi'i dewis i gynrychioli ardal lawer mwy.

sample size maint sampl *eg* meintiau sampl. Y nifer o unedau samplu a samplwyd (h.y. a fesurwyd, a syrfeiwyd ac a restrwyd) mewn poblogaeth neu ardal benodol. *Cyfystyr(on)* size of a sample

sampling samplu *be* Dull o gael gwybodaeth am boblogaeth drwy edrych ar rai yn unig o'r unedau samplu yn y boblogaeth honno.

sampling error gwall samplu *eg* gwallau samplu. Y rhan o'r gwahaniaeth rhwng gwerth poblogaeth ac amcangyfrif sampl, i'w briodoli i'r ffaith fod rhai gwerthoedd yn cael eu harsylwi, ac na ddylid drysu rhwng hyn â gwallau oherwydd tuedd mewn amcangyfrif, arsylwadau anghywir, etc. Caiff ei fesur fel cyfeiliornad safonol yr amcangyfrif sampl, naill ai yn absoliwt neu fel % o'r amcangyfrif (h.y. canran y cyfeiliornad samplu). *Cyfystyr(on)* precision

sampling fraction ffracsiwn samplu *eg* ffracsiynau samplu. Cyfran y boblogaeth sy'n cael ei chynnwys mewn samplau, yn cael ei mynegi fel ffracsiwn neu ganran. *Cyfystyr(on)* sampling rate

sampling methods dulliau samplu *ell* Gweithdrefnau i bennu pa unedau samplu fydd yn cael eu mesur neu eu harsylwi, megis dulliau samplu wedi a heb eu haenu un cyfnod, amlgyfnod a chlwstwr.

sampling unit uned samplu *eb* unedau samplu. 1) Un o'r rhannau penodol y mae poblogaeth wedi'i rhannu iddynt at ddibenion samplu. Yn gyffredin bydd pob uned samplu yn cynnwys un elfen samplu yn unig a all fod yn blot samplu, pwynt samplu, neu goeden. Y term am uned samplu sy'n cynnwys mwy nag un elfen samplu yw clwstwr. Mewn samplu

tebygolrwydd, dewisir yr unedau samplu yn annibynnol ar ei gilydd ond nid yw hynny'n wir am yr elfennau samplu o fewn uned samplu (clwstwr); 2) isadran o boblogaeth neu isboblogaeth sydd o ddimensiwn digonol i roi amcangyfrifon diduedd o baramedrau poblogaeth.

sampling unit distribution dosbarthiad uned samplu *eg* Lledaeniad unedau samplu mewn gofod (ac amser) wedi'u dewis ar gyfer samplu dros y boblogaeth gyfan.

sampling using a range of fixed radius plots samplu gan ddefnyddio ystod o leiniau radiws sefydlog *be* Dull samplu, lle mae plotiau o faint gwahanol yn cael eu pennu a'u defnyddio er mwyn amcangyfrif categorïau maint gwahanol y paramedr(au).

sanitation cutting torri iachusol *be* Symud coed i wella iechyd y gelli drwy atal neu leihau lledaeniad cyfredol neu bosibl pryfed neu afiechyd.

sawlog boncyff llifio *eg* boncyffion llifio. Boncyff sy'n addas o ran maint ac ansawdd i'w droi yn bren wedi'i lifio.

sawlog stage cyfnod boncyff llifio *eg* Cyfnod yn natblygiad celli neu gnwd lle mai cyffion wedi'u llifio fydd y prif gynnyrch.

scarification creithio *be* Tarfu'n fecanyddol ar lawr y goedwig (deilbridd, gwasarn, pridd) i greu gwell amgylchiadau tyfu ar gyfer coed sy'n cael eu plannu, i greu gwell amgylchiadau gwelyau had ar gyfer egino'r had a gaed o goed sy'n sefyll neu frwgaets, neu i hybu tocio a thwf sugnolion o fonion coed sydd yno eisoes.

Schlußverhandlung (de) Esboniad o ganlyniadau cynllunio rheoli fel sail i berchennog y datganiad deilliannau goedwig gymeradwyo'r cynllun rheoli. *Cyfystyr(on)* statement of outcomes

Schneise (de) Agoriad cul syth ar ymyl adran, sy'n aml yn cael ei ddefnyddio fel rac alldynnu, ac sy'n rhedeg yn berpendicwlar i brif gyfeiriad y gwynt.

Schneitelbetrieb (de) Mewn Almaeneg: defnydd amaethyddol a choedwigaeth ar y cyd. Torri canghennau deiliog ym mrig coeden i gael porthiant a gwasarn.

Schwachholz (de) Pren crwn o ddimensiwn bach (dbh < 20cm), a gynhyrchir mewn gweithgareddau trin neu deneuo celli.

Scots pine pinwydden yr Alban *eb* pinwydd yr Alban *Pinus silvestris*

scrub stand prysglwyn *eg* prysglwyni. Celli o dwf israddol yn cynnwys coed a llwyni bach neu grablyd, fel arfer o rywogaethau na ellir eu gwerthu'n fasnachol.

sea buckthorn rhafnwydden y môr *eb* rhafnwydd y môr *Hippophae rhamnoides*

secondary species rhywogaeth eilaidd *eb* rhywogaethau eilaidd. Un neu fwy rhywogaeth o ansawdd neu faint israddol, heb fawr o werth economaidd nac ecolegol, sy'n gysylltiedig gyda'r brif rhywogaeth mewn coedwig gymysg. *Cyfystyr(on)* subordinate species

secondary woodland coetir eilaidd *eg* coetiroedd eilaidd. Coetir sydd wedi ailgytrefu (naill ai drwy aildyfiant

naturiol neu drwy blannu) ar dir sydd wedi'i glirio o'r blaen.

seed certification tystysgrifo had *be* Y broses o warantu tarddiad (daearyddol, genynnol), purdeb, ansawdd, cyflwr glân, etc., cyflenwad penodol o hadau neu blanhigion, gan asiantaeth wedi'i achredu. *Cyfystyr(on)* planting stock certification

seed cutting torri i hadu *be* Symud coed mewn celli aeddfed fel ag i effeithio ar agoriad parhaol y canopi (os na chafwyd torri rhagbaratoadol i wneud hyn) ac felly ddarparu amgylchiadau ar gyfer cychwyn aildyfu o hadau'r coed a gadwyd at y diben hwnnw; y cyntaf o'r prif doriadau dan system coed cysgodol. *Cyfystyr(on)* seed felling; seeding cutting; seeding felling

seed stand celli had *eb* cellïoedd had. 1) Celli sydd wedi'i neilltuo a'i rheoli yn bennaf ar gyfer cynhyrchu had; 2) unrhyw gelli a ddefnyddir fel ffynhonnell had. *Cyfystyr(on)* parent stand

seed tree had goeden *eg* Coeden sy'n cael ei dewis ac yn aml ei neilltuo ar gyfer casglu hadau neu ar gyfer hadu ardal aildyfu (heb ddigon o stoc ynddi) yn naturiol. *Cyfystyr(on)* mother tree

selection cutting torri detholiad *be* Symud coed yn flynyddol neu yn achlysurol (yn enwedig y rhai aeddfed), yn unigol neu mewn grwpiau bach, o goedwig o oed anwastad er mwyn cael y cydbwysedd ymhlith y dosbarthiadau diamedr sydd eu hangen ar gyfer cynnyrch cynaliadwy, ac er mwyn gwireddu'r cynnyrch a sefydlu cnwd newydd o gyfansoddiad afreolaidd.

Cyfystyr(on) selection felling

selection forest coedwig ddetholus *eb* coedwigoedd detholus. Coedwig sy'n cael ei rheoli dan y drefn o ddethol coed unigol neu grŵp bach iawn. **Cyfystyr(on) Plenterwald (de)**

selection system system ddetholus *eb* System goedwriaethol oed anwastad lle caiff coed eu symud yn unigol, hwnt ac yma, neu mewn grwpiau bach iawn, o ardal fawr yn flynyddol (neu bob yn hyn a hyn), yn ddelfrydol o goedwig neu gylch gwaith cyfan, ond yn ymarferol bron bob amser dros y gyfres gywmpo flynyddol; mae'r aildyfu yn naturiol gan mwyaf ac yn ddelfrydol mae'r cnwd yn cynnwys coed o bob oed. **Cyfystyr(on) single tree selection system; individual tree selection**

selective cut(ting) torri detholus *be* Math o dorri (ecsbloetio) sy'n symud dim ond rhai rhywogaethau (a) uwchben maint arbennig, (b) uchel eu gwerth, neu (c) o faint penodol at ddibenion penodol. **Cyfystyr(on) selective felling; selective logging**

selective thinning teneuo dethol *be* Symud coed (is eu safon) ym mhob dosbarth o'r brigdyfiant er mwyn ffafrio'r cnwd coed terfynol (gwell ei safon).

semi natural woodland coetir llednaturiol *eg* coetiroedd lled-naturiol. Coetir sydd wedi'i reoli yn y gorffennol neu sydd ar hyn o bryd yn cynnwys yn bennaf goed brodorol sy'n tyfu o eginblanhigion hunanheuedig, neu o aildyfiant ar ôl prysgoedio sydd ei hun wedi deillio o eginblanhigion hunanheuedig.

sessile digoes *ans* Heb goesyn (e.e. derwen ddigoes, a elwir felly oherwydd ei mes digoes).

sessile oak derwen (deilen) ddi-goes *eb* derw (dail) di-goes *Quercus petraea*

severance felling cwympo gwahaniadol *be* Cwympo stribed cul rhwng dwy gelli neu isadrannau er mwyn cynyddu cadernid un yn y gwynt cyn i'r llall gael ei chwympo.

shelterbelt stribed cysgodi *eg* stribedi cysgodi. Stribed o goed a/neu llwyni byw sy'n cael eu cynnal a'u cadw yn bennaf i ddarparu cysgod rhag y gwynt; ond hefyd rhag haul, tân, lluwchfeydd eira, etc. **Cyfystyr(on) windbreak**

shelterwood felling cwympo coed cysgodol *be* Unrhyw gwympo yn yr ardal aildyfu sy'n golygu fod celli yn amddiffyn yr aildyfiant. **Cyfystyr(on) shelterwood cutting**

shelterwood system system coed cysgodol *eb* System coedwriaeth oed cyfartal, lle, er mwyn darparu ffynhonnell o had a/neu lloches ar gyfer aildyfu, caiff yr hen gnwd (y coed cysgodol) ei symud drwy dorri'r coed cysgodol unwaith neu ddwywaith yn olynol, gyda'r toriad cyntaf fel arfer ar gyfer yr had (er y gall toriad rhagbaratoadol ddod o flaen hynny) a'r toriad terfynol yw'r toriad olaf, gydag unrhyw doriadau eraill rhyngddynt yn cael eu galw yn doriadau symud neu doriadau eilradd. **Cyfystyr(on) shelterwood method**

shelterwood wedge system system lletem coed cysgodol *eb* System reoli lle mae cwympiadau yn dechrau fel llinellau mewnol yng nghyfeiriad y prif wynt, yn lledu i ffurf lletem ac yn mynd yn ei blaen gydag apig y lletem tuag at y gwynt; aildyfiant naturiol gan mwyaf; y cyfwng aildyfu yn fyr a'r cnwd ifanc yn eithaf cyson o ran oed. *Cyfystyr(on)* **wedge system**

shelterwood-strip felling cwympo stribedi coed cysgodol *be* Cwympo aildyfu, sy'n cyfuno cwympo coed cysgodol y tu mewn i'r gelli er mwyn annog rhywogaethau sy'n goddef cysgod, gyda chwympo stribedi ar y ffrynt cwympo sy'n annog rhywogaethau nad ydynt yn medru goddef cysgod gystal. *Cyfystyr(on)* **strip shelterwood felling/cut(ting)**

shrub layer haen llwyni *eb* haenau llwyni. Yn cael ei ffurfio gan blanhigion prennaidd rhwng 3 a 30 troedfedd o daldra.

silver birch bedwen arian *eb* bedw arian *Betula pendula*

silver fir ffynidwydden arian *eb* ffynidwydd arian *Abies alba*

silver lime pisgwydden arian *eb* pisgwydd arian *Tilia tomentosa*

silvics coedeg *eb* Astudiaeth hanes bywyd, dynameg a nodweddion cyffredinol coed a chellïoedd coedwig, gan gyfeirio'n arbennig at ffactorau amgylcheddol, fel sail i ymarfer coedwriaeth.

silvicultural objective amcan coedwriaeth *eg* amcanion coedwriaeth. Y

deilliant y mae pob arferiad coedwriaethol yn cael ei ddewis ar ei gyfer, h.y. cyflwr targed y goeden neu'r gelli ar ddiwedd y cyfnod cynllunio. *Cyfystyr(on)* **silvicultural goal**

silvicultural system system goedwriaethol *eb* systemau coedwriaethol. Rhaglen wedi'i chynllunio o driniaethau drwy gydol bywyd celli i gyflawni amcanion strwythurol celli ar nodau rheoli adnoddau integredig. Mae system coedwriaeth yn cynnwys dulliau neu gyfnodau cynaeafu, aildyfu a dulliau trin cellïoedd, grwpiau neu goed. Mae'n cynnwys pob gweithgaredd am holl gyfnod cylch torri neu gylchdroi. *Cyfystyr(on)* **forest system**

silvicultural yield cynnyrch coedwriaethol *eg* Cyfanswm cyfaint cynhaef coedwig, yn cael ei gyfrifo drwy gyfri cyfeintiau yn deillio o ragnodion coedwriaethol neu reolaeth cellïoedd unigol, o'i gymharu â chyfanswm y cynnyrch yn deillio o weithredu cynllun rheoli integredig ar gyfer y goedwig.

silviculture coedwriaeth *eb* Celfyddyd a gwyddor rheoli sefydlu, twf, cyfansoddiad, iechyd ac ansawdd coedwigoedd a choetiroedd i ateb anghenion a gwerthoedd amrywiol targedig tirfeddianwyr a chymdeithas ar sail gynaliadwy.

simple coppice system system brysgoedio syml *eb* System prysgoedio lle mae'r holl gyffynnau mewn celli yn cael eu torri bob cwympiad, gan roi cyffynnau a chellïoedd o'r un oed.

single tree forest management rheolaeth coedwig un goeden *eb*

51

Rheolaeth lle mae coed unigol yn ffurfio'r unedau rheoli sylfaenol, o'i gyferbynnu â rheolaeth grwpiau neu gellïoedd. *Cyfystyr(on)* **forest management by individual trees**

single-storied stand celli un haen *eb* cellïoedd un haen. Celli lle na cheir ond un dosbarth taldra, h.y. coed o tua'r un taldra.

site safle *eg* safleoedd. Y clwstwr o ffactorau ffisegol a biolegol am ddarn o dir sy'n pennu pa goedwig neu lystyfiant arall y gall gario.

site class dosbarth safle *eg* dosbarthiadau safle. 1) Dosbarthiad ansawdd safle, fel arfer yn cael ei fynegi yn nhermau taldra coed trechol ar oed cyfeiriol neu gynyddiad blynyddol cymedrig potensial ar eu hanterth; 2) unrhyw gyfwng y mae'r ystod mynegai safle yn cael ei rannu iddo at ddibenion dosbarthu a defnyddio. *Cyfystyr(on)* **crop class**

site clearing clirio safle *be* Symud neu chwythu ymaith y brwgaets neu rwystrau eraill (e.e. bonion, gwreiddiau) i baratoi safle ar gyfer ei ailgoedwigo. *Cyfystyr(on)* **ground clearing**

site description disgrifiad safle *eg* disgrifiadau safle. Diffiniad ansoddol a/neu meintiol o ffactorau ffisegol a biolegol darn o dir, sy'n pennu pa goedwig neu lystyfiant arall y bydd yn ei gario. *Cyfystyr(on)* **description of a site**

site factor ffactor safle *eb* ffactorau safle. Un o'r ffactorau ffisegol neu fiolegol sy'n gwneud y safle, e.e. hinsawdd, pridd, tirwedd, hwmws, traeniad.

site index mynegai safle *eg* mynegeion safle. Mynegai safle: mesuriad rhywogaeth-benodol o wir gynhyrchiant coedwig neu'r potensial cynhyrchiant (ansawdd safle), fel arfer ar gyfer cellïoedd unoed, yn cael ei fynegi yn nhermau uchder cyfartalog coed sydd wedi'u cynnwys mewn cydran celli benodedig (wedi'i diffinio fel nifer arbennig o goed trechol, cyd-drechol, neu'r coed mwyaf a thalaf fesul arwynebedd uned) ar oed mynegai penodedig. Dosbarth safle: unrhyw gyfwng y mae'r ystod mynegai safle yn cael ei rannu at ddibenion dosbarthu. *Cyfystyr(on)* **site class**

site map map safle *eg* mapiau safle. Map sy'n dangos dosbarthiad ffactorau safle drwy ardal goedwig. *Cyfystyr(on)* **site type map**

Site of Special Scientific Interest (SSSI) Safle o Ddiddordeb Gwyddonol Arbennig (SoDdGA) *eg* Safleoedd o Ddiddordeb Gwyddonol Arbennig Caiff Safleoedd o Ddiddordeb Gwyddonol Arbennig eu hysbysu gan English Nature, Cyngor Cefn Gwlad Cymru a Scottish Natural Heritage oherwydd presenoldeb planhigion, anifeiliaid neu nodweddion daearegol neu ffisiograffig pwysig.

site quality ansawdd safle *eg* Y maint mwyaf o ddeunydd, ar gyfer rhywogaeth arbennig, y mae darn o dir yn abl i'w gynhyrchu, dan amodau arferol, cyn belled â bod ffactorau'r ardal leol yn parhau'n ddigyfnewid. *Cyfystyr(on)* **site productivity; yield potential**

site survey arolwg safle *eg* arolygon safle. Asesiad o safleoedd coedwig unigol i gael brasamcan o botensial twf tymor hir (cynhyrchiant). *Cyfystyr(on)* **site mapping; site appraisal**

site type math o safle *eg* mathau o safleoedd. Dosbarthiad o safleoedd yn ôl hinsawdd, pridd a llystyfiant, yn mynegi'r potensial am dwf.

Sitka spruce sbriwsen Sitka *eb* sbriws Sitka *Picea sitchensis*

skyline system system awyrgeblau *eb* systemau awyrgeblau. System geblau gyda ffurfwedd rhaff yn cynnwys cebl yn yr awyr (naill ai'n sefydlog neu yn rhedeg) a phrif linell (a lein halio nôl) ar gyfer symud y llwyth coed.

slash coediach *eg* Rhannau coeden (cyff neu ganghennau) gyda diamedr o dan y lleiafswm a osodwyd ar gyfer eu defnyddio (e.e. < 7 cm). *Cyfystyr(on)* **brash; brushwood; felling debris**

small-scale forest map [trans.] map coedwig graddfa fechan *eg* mapiau coedwig graddfa fechan. Mapiau coedwig, ar raddfeydd o 1:25000 i 1:100000, a ddefnyddir gan reolwyr lefel uwch.

snow damage difrod eira *eg* Cyffion neu frigdyfiant coed yn gwyro neu'n torri o ganlyniad i'r pwysau mae eira yn ei roi arnynt.

social benefits of forests manteision cymdeithasol coedwigoedd *ell* Yr enillion i gymdeithas nad ydynt yn rhai ariannol (ac na ellir fel arfer eu cyfrif) sy'n codi o unrhyw ffurf ar weithgaredd coedwig.

soil expectation value gwerth disgwyliedig pridd *eg* Cyfanswm llif arian ar ddisgownt cyfres anfeidraidd o gylchdroadau unfath, gan eithrio cost y tir. *Cyfystyr(on)* **land expectation value**

soil improvement gwella pridd *be* Addasiad ffisegol a/neu gemegol y pridd i wella cymeriant maeth y llystyfiant.

soil map map pridd *eg* mapiau pridd. Map sy'n dangos dosbarthiad a lleoliad mathau o bridd.

soil rent(al) rhent pridd *eg* rhenti pridd. Llif arian blynyddol ar ddisgownt o gyfres anfeidraidd o gylchdroadau unfath, gan eithrio cost y tir.

spacing number rhif gofodi *eg* rhifau gofodi. Gwerth rhifol (h.y. y bwlch rhwng coed), yn disgrifio dwysedd celli, sy'n cael ei ddefnyddio fel paramedr mewn modelau twf.

Spanish fir ffynidwydden Sbaen *eb* ffynidwydd Sbaen *Abies pinsapo*

spatial order trefn ofodol *eb* Y dull (wedi'i gynllunio) y mae elfennau yn cael eu trefnu, eu dosbarthu neu eu perfformio o fewn lle neu ofod.

species mixture cymysgedd rhywogaethau *eg* Presenoldeb nifer o rywogaethau coed mewn celli ar unrhyw un adeg, naill ai yn barhaol neu dros dro. *Cyfystyr(on)* **mixture; mixed stand**

stability 1) sefydlogrwydd *eg* 2) sadrwydd *eg* 1) Gallu ecosystem i wrthsefyll newid, neu pan gaiff ei newid i fedru newid yn ôl i'r cyflwr gwreiddiol; 2) gallu coed neu gellïoedd i wrthsefyll pwysau gwynt a/neu eira.

stand celli *eb* cellïoedd. Cymuned o goed sy'n meddu ar ddigon o unffurfiaeth o ran cyfansoddiad, oed, trefn neu gyflwr i fedru cael eu hadnabod i fod yn wahanol i weddill y goedwig neu dyfiant ar ardaloedd cyffiniol, ac sydd felly yn ffurfio endid goedwriaethol neu reolaethol dros dro.

stand growth model model twf celli *eg* modelau twf celli. Model cyfrifiadurol sy'n rhagweld datblygiad celli coedwig, fel arfer yn nhermau priodoleddau cymedrig celli (e.e. diamedr neu daldra cymedrig), ond hefyd yn ôl diamedr (neu faint dosbarth arall).

stand basal area arwynebedd gwaelodol celli *eg* arwynebeddau gwaelodol celli. Swm arwynebeddau trawstoriadau ar uchder y frest mewn coed celli, fel arfer yn cael ei fynegi mewn metrau sgwâr yr hectar arwynebedd gwaelodol.

stand density dwysedd celli *eg* dwyseddau cellïoedd. Mesur meintiol gorchudd coed, naill ai'n cael ei fynegi'n berthynol fel cyfernod, gan gymryd niferoedd normal, arwynebedd gwaelodol arferol neu gyfaint arferol (o ddata tablau cynnyrch) fel undod, neu yn absoliwt, yn nhermau nifer o goed, cyfanswm arwynebedd gwaelodol, neu gyfaint, i bob arwynebedd uned. Yn fwy manwl, mesur o'r graddau y mae coed wedi'u tyrru at ei gilydd o fewn ardaloedd wedi'u stocio, yn cael ei fynegi'n gyffredin drwy gymarebau gofod tyfu gwahanol o hyd y brigdyfiant i daldra'r goeden, diamedr y brigdyfiant i dbh, neu ddiamedr y brigdyfiant i daldra'r goeden; o'r gofod rhwng y cyffion i daldra'r coed.

stand density index mynegai dwysedd celli *eg* mynegeion dwysedd celli. 1) Unrhyw fynegai ar gyfer gwerthuso dwysedd celli yn seiliedig ar gymharu amodau stocio go iawn yn erbyn rhai safonol; 2) fel y'i datblygwyd gan Reinke (1933), caiff dwysedd celli cymharol ei fynegi yn nhermau'r berthynas rhwng y nifer o goed i bob arwynebedd uned i ddiamedr cymedrig cwadratig celli.

stand description disgrifiad celli *eg* disgrifiadau celli. Manyleb statws presennol a bwriadau rheoli ar gyfer y dyfodol ar gyfer cellïoedd unigol o ran yr amcanion rheoli. *Cyfystyr(on)* crop description; stand assessment

stand development datblygiad celli *eg* datblygiad cellïoedd. Y rhan o ddeinameg celli sy'n ymwneud â newidiadau yn adeiledd celli dros amser. *Cyfystyr(on)* stand history

stand development class dosbarth datblygiad celli *eg* dosbarthiadau datblygiad celli. Dosbarthiad cellïoedd yn ôl cyfnodau twf celli yn ystod ei hoes, sef, sefydlu, eginblanhigyn neu gyffyn prysgoed, cyfnodau cyn-ddryslwyn, dryslwyn neu lasbren, hirgyff bychan, hirgyff mawr, hirgyff mawr iawn, pren bychan, pren mawr a phren mawr iawn.

stand edge cwr celli *eg* cyrion celli. Stribed allanol celli, yn ffinio â chellïoedd eraill neu lefydd agored (e.e. ffyrdd). *Cyfystyr(on)* edge of a stand

stand estimation amcangyfrif celli *be* Penderfynu nodweddion celli drwy frasfarnu (â'r llygad). *Cyfystyr(on)* estimation of stand characteristics

stand expectation value gwerth disgwyliedig celli *eg* Yr incwm net y bydd celli yn ei greu dros y cylchdro ar gyfradd log neu disgownt penodol.

stand form factor ffactor ffurf celli *eb* ffactorau ffurf celli. *F, f.* Ffactor ffurf celli, fel y'i cyfrifir o ffactorau ffurf y coed unigol neu o'r goeden arwynebedd gwaelodol cymedrig.

stand management rheoli celli *be* Lle mae cellïoedd yn ffurfio'r unedau ar gyfer gwneud penderfyniadau ar gyfer rheoli coedwigoedd, a lle mae penderfyniadau yn cael eu gweithredu ar unrhyw un amser dros gellïoedd cyfan. *Cyfystyr(on)* management on a stand basis

stand management planning cynllunio rheoli celli *be* Dulliau cynllunio ar gyfer rheoli cellïoedd unigol, o'i gymharu 'r goedwig gyfan neu unedau rheoli eang o fewn coedwigoedd (e.e. cylchoedd gwaith).

stand map map cellïoedd *eg* mapiau cellïoedd. Map yn dangos dosbarthiad cellïoedd o ran eu lleoliad, a lle mae'n briodol, yr adrannau a'r isadrannau, o fewn coedwig.

stand profile proffil celli *eg* proffiliau cellïoedd. Portread graffigol celli, yn gywir o ran graddfa, lleoliad diamedr a thaldra coed unigol. *Cyfystyr(on)* vertical cross-section of a stand

stand record cofnod celli *eg* cofnodion celli. Rhan o gofnod coedwig, yn disgrifio celli arbennig, yn ansoddol a meintiol (dros amser).

stand register cofrestr cellïoedd *eb* cofrestri cellïoedd. Rhestr o bob celli coedwig ac ardaloedd cysylltiedig, yn aml yn cael eu hisrannu gyda chylchoedd gweithio a systemau rheoli (e.e. coedwig gynhyrchu, coedwig amddiffyn, ardal heb ei choedwigo, etc).

stand stability sadrwydd celli *eg* Dosbarthiad neu gyflwr celli, dan ddylanwad arferion coedwriaeth neu reolaeth, lle mae'r risg o ddifrod gwynt, eira a iâ yn cael ei fynegi.

stand structure adeiledd celli *eg* Dosbarthiad coed mewn celli, y gellir ei ddisgrifio drwy batrymau gofodol fertigol a/neu lorweddol, maint coed neu rannau coed, oed, neu gyfuniad o'r rhain. *Cyfystyr(on)* structure of a stand

stand tending gofal celli *eg* Cyfres ailadroddol o unrhyw weithrediadau a wneir er budd cnwd coedwig, ar unrhyw gyfnod yn ei bywyd; yn hanfodol gan gynnwys gwaith ar y cnwd ei hun ac ar lystyfiant sy'n cystadlu ag ef, ond nid cwympiadau aildyfu, na gweithrediadau llawr megis trin a thraeniad. *Cyfystyr(on)* tending

stand type math o gelli *eg* mathau o gellïoedd. Dosbarthiad cellïoedd neu gnydau yn ôl cyfansoddiad, adeiledd, dosbarthiad dosbarth oed a dosbarth cynnyrch. Mae modd rheoli cellïoedd o'r un fath yn yr un ffordd.

stand value gwerth celli *eg* Gwerth marchnad coed sy'n sefyll a nwyddau eraill mewn celli. *Cyfystyr(on)* value of a stand

standard height curve cromlin uchder safonol *eb* cromliniau uchder safonol. Cromlin datblygiad taldra ar gyfer teip arbennig o gelli sy'n cael ei ddiffinio'n fathemategol.

standing reserve gwarchodfa fyw *eb* gwarchodfeydd byw. Coed wrth gefn, yn cynnwys rhai cellïoedd sydd wedi'u hynysu oddi wrth reolaeth gyffredin ac sy'n cael eu gadael i dyfu ymlaen a chynyddu o ran cyfaint a dim ond yn cael eu teneuo a'u trin yn goedwriaethol.

starting date of a management plan [trans.] dyddiad cychwyn cynllun rheoli *eg* dyddiadau cychwyn cynlluniau rheoli. Y dyddiad y mae'r data cynllun rheoli coedwig yn cyfeirio ato, a dyddiad cychwyn y cyfnod cynllunio rheoli.

statistical analysis of inventory data dadansoddi data stocrestr yn ystadegol *be* Dadansoddiad gwrthrychol o ddata stocrestr yn ôl egwyddorion ystadegol, gan gynhyrchu amcangyfrifon poblogaeth megis cyfyngau hyder, amrywiannau a chymedrau.

stem cyff *eg* cyffion. Prif echelin planhigyn y mae blagur ac egin yn datblygu ohono. *Cyfystyr(on)* trunk; bole

stem quality class dosbarth ansawdd cyffion *eg* Dosbarth y mae coed celli neu gnwd yn cael eu gosod ynddynt ar sail ansawdd cyffion; hefyd y coed sy'n disgyn i ddosbarth o'r fath.

stem analysis dadansoddi cyff *be* Dadansoddi cyff coeden gyflawn drwy gyfrif a mesur y cylchoedd twf blynyddol ar gyfres o drawstoriadau wedi'u cymryd ar wahanol bwyntiau uchder, er mwyn pennu ei wahanol gyfraddau twf yn y gorffennol a'r berthynas rhwng uchder ac oed neu ddiamedr.

stem form factor ffactor ffurf cyff *eb* ffactorau ffurf cyff. Ffactor ffurf yn seiliedig ar gyfaint cyff coeden i derfyn masnachadwy penodol, yn hytrach na chyfanswm cyfeintiau neu gyfeintiau canghennau.

stem length hyd cyff *eg* Hyd cyff coeden sydd wedi cwympo o'r bôn i'r diamedr lleiaf masnachadwy (e.e. 7 cm). *Cyfystyr(on)* log length

stem quality ansawdd cyffion *eg* Gradd cyff coeden yn unol â set o safonau ansawdd y cytunwyd arnynt.

stocking stocio *be* 1) Biometreg: amlder neu faint unrhyw beth ar ddarn o dir arbennig, yn enwedig mewn perthynas â'r hyn a ystyrir yn optimwm; 2) Coedwriaeth: mynegiant ansoddol o ddigonolrwydd gorchudd coed ar ddarn o dir, o ran caead y brigdyfiant, nifer y coed, arwynebedd neu gyfaint gwaelodol, mewn perthynas â norm rhagosodedig; 3) Ecolegol: presenoldeb o leiaf un goeden mewn un uned ardal fechan.

stone pine pinwydden gneuog *eb* pinwydd cneuog *Pinus pinea*

stratification haenu *be* 1) Ystadegaeth: isrannu poblogaeth i haenau, h.y. blociau, fel rhagbaratoad ar gyfer samplu, lle mae pob bloc yn fwy unffurf o ran yr amrywiant/amrywiannau sy'n cael ei fesur na'r boblogaeth gyfan. 2) Dosbarthiad a mapiad cynefinoedd/cymunedau daearol neu ddyfrol i haenau neu barthau diffiniedig, yn seiliedig ar olau, tymheredd, lleithder a phatrymedd adeiledd ffisegol. 3) Gweinyddiaeth: isrannu at ddibenion rheolaeth.

stratified sample sampl haenedig *eb*
samplau haenedig. Sampl o boblogaeth
haenog, yn cynnwys detholiad
(hapddetholiad sydd orau ond weithiau
detholiad systematig) o unedau samplu o
bob stratwm.

stratum stratwm *eg* strata. Un israniad o
ardal neu boblogaeth coedwig sydd i gael
ei stocrestru. Mae poblogaethau sampl fel
arfer yn cael eu haenu (eu rhannu yn
strata) i gael amcangyfrifon gwahanol ar
gyfer pob stratwm.

strip felling cwympo stribedi *be* Symud
coed mewn un weithred neu fwy mewn
system o stribedi o wahanol led. Mae
wedi'i gynllunio i annog aildyfiant ar
safleoedd anodd a/neu fregus.
Cyfystyr(on) strip cutting

strip felling system system cwympo
stribedi *eb* System coedwriaeth lle caiff
cwympiadau aildyfu eu trefnu mewn
stribedi, fel arfer yn mynd yn eu blaen yn
erbyn y gwynt arferol; mae'r aildyfu gan
mwyaf yn naturiol. *Cyfystyr(on)* strip
cutting system [USA] [Ca]

strip-and-group felling system system
gwympo stribed a grŵp *eb* Addasiad i'r
system stribedi coed cysgodol. Yn y
system hon, yn ogystal â'r toriad hadu
unffurf arferol, mae grwpiau o flaendwf
yn cael eu rhyddhau yn y stribed ac yn
agos o'i flaen, ynghyd â thoriadau grŵp
pellach i hybu aildyfu.

stump bonyn *eg* bonion. Gwaelod
coeden a'i gwreiddiau sydd wedi'u gadael
yn y ddaear ar ôl cwympo.

stumpage pris coed sy'n sefyll *eg*
Gwerth pren fel y mae'n sefyll heb ei
dorri, o ran maint i bob uned gyfaint

ciwbig neu i bob uned o bwysau.
Cyfystyr(on) standing timber price;
stumpage value

sub-compartment isadran *eb*
isadrannau. Israniad o gydran, fel arfer o
natur dros dro, wedi'i wahaniaethu er
mwyn cael ei ddisgrifio a'i drin yn
arbennig, ac yn aml yr uned reoli mwyaf
sylfaenol. *Cyfystyr(on)* subcompartment

sub-compartment boundary ffin
isadran *eb* ffiniau isadran. Perimedr yr
uned reoli coedwig sylfaenol. Os oes
modd dylai ddilyn nodweddion naturiol
neu artiffisial. *Cyfystyr(on)* stand
boundary

succession olyniaeth *eb* Darn o lystyfiant
yn newid yn raddol drwy brosesau sydd
fwy neu lai yn naturiol, sydd fel arfer yn
golygu bod rhywogaethau yn cyrraedd ac
yn dirywio.

sustainability cynaliadwyedd *eg*
Egwyddor economaidd a moesegol wrth
ryngweithio gyda natur fyw: nodwedd o
reoli coedwig yn y fath ffordd fel bod yr
holl ofynion ecolegol, economaidd a
chymdeithasol yn cael eu cyflawni, yn
barhaol ac i'r graddau mwyaf posib, yn
unol â gwybodaeth gyfoes.

sustainability criteria meini prawf
cynaliadwyedd *ell* Nodweddion y gellir
asesu yn eu herbyn p'un ai a yw
deilliannau rheoli yn debyg o fod yn
gynaliadwy.

sustainable forest management
rheolaeth coedwig gynaliadwy *eb*
Stiwardiaeth a defnydd coedwigoedd a
thiroedd coedwig mewn ffordd, neu o
leiaf ar gyfradd, sy'n cynnal eu
bioamrywiaeth, cynhyrchedd, gallu i

aildyfu, bywiogrwydd, a'u potensial i gyflawni, yn awr ac yn y dyfodol, swyddogaethau ecolegol, economaidd, a chymdeithasol perthnasol ar lefelau lleol, rhanbarthol, cenedlaethol a byd-eang, a hynny heb achosi difrod tymor hir i ecosystemau eraill.

sustained yield regulation rheoleiddio cynnyrch cynaliadwy *eg* Rheoleiddio maint ac ansawdd y cynnyrch y gall coedwig ei roi yn barhaus ac yn ôl dwyster penodol o reolaeth. Cyrraedd a chynnal am byth lefel flynyddol uchel neu allbwn achlysuron rheolaidd uchel o adnoddau coedwig heb amharu ar gynhyrchiant y tir.

sustained-yield management rheolaeth cynnyrch cynaliadwy *eb* Rheoli system goedwig yn unol ag egwyddor cynhyrchiant cynaliadwy.

swamp cypress cochwydden gollddail *eb* cochwydd collddail ***Taxodium distichum***

sweet chestnut castanwydden bêr *eb* castanwydd pêr ***Castanea sativa***

sycamore masarnen *eb* masarn ***Acer pseudoplatanus***

systematic error cyfeiliornad systematig *eg* cyfeiliornadau systematig. Math o gyfeiliornad, nad yw'n un ar hap ac na ellir ei leihau drwy gynyddu maint y sampl. Mae cyfeiliornadau systematig yn ganlyniad gwallau yn yr offer, y cofnodi, dulliau dadansoddi anghywir, etc.

systematic sampling samplu systematig *be* Y detholiad o unedau samplu yn unol â gweithdrefn geometrig (e.e. ar gyfyngau rheolaidd ar hyd llinellau) neu

ddull arall nad yw ar hap (e.e. pob nfed coeden).

T

table of basal areas tabl arwynebeddau gwaelodol *eg* tablau arwynebeddau gwaelodol. Tabl ar gyfer trosi diamedr neu gwmpas i arwynebedd adrannol neu arwynebedd gwaelodol pan fydd mesurau ar uchder y frest. *Cyfystyr(on)* basal-area table; table of sectional areas

tally sheet ffurflen gofnodi *eb* ffurflenni cofnodi. Ffurflen ar gyfer cofnodi data stocrestr yn drefnus, yn enwedig diamedrau. *Cyfystyr(on)* list of measured trees

taper tapr *eg* taprau. Lleihad trwch cyff neu foncyff coeden o'r bôn i fyny, yn gyffredinol o ran diamedr. *Cyfystyr(on)* diameter decrease; decrease in diameter

target diameter diamedr targed *eg* diamedrau targed. Diamedr cyfartalog neu leiafswm diamedr ar gyfer cyfran benodol o goed y mae coed neu gellïoedd yn cael eu tyfu iddo er mwyn gwneud y defnydd gorau ohonynt.

target forest [trans.] coedwig darged *eb* coedwigoedd targed. Cyflwr, cynnwys ac adeiledd coedwig yn cael ei ragfynegi ar sail y cyflwr presennol ac ar berthynas (gynaliadwy) rhwng y system reoli, stoc sy'n tyfu, cynnydd a chyfeintiau cynaeafu.

target growing stock stoc tyfu targed *eg* stociau tyfu targed. Lefel y stoc sy'n tyfu, y mae'r rheolwyr yn ceisio'i gyrraedd dros y goedwig gyfan.

tariff table tabl prisiau *eg* tablau prisiau. Tabl neu ffwythiant lle mae amcangyfrifon cyfaint cyffredinol yn cael eu haddasu i werthoedd lleol gan ddefnyddio tariff neu fynegai.
Cyfystyr(on) tariff function

technical rotation cylchdro technegol *eg* cylchdroeon technegol. Y cylchdro y mae rhywogaeth yn cynhyrchu'r (mwyafswm) defnydd o feintiau, ansawdd ac addasrwydd penodol ar gyfer trawsnewid economaidd neu ddefnydd arbennig.

temporal order trefn dymhorol *eb* Dilyniant lle mae elfennau rheoli neu weithgareddau eraill yn cael eu trefnu, dosbarthu neu berfformio dros amser.

tending during the establishment stage [trans.] gofal yn ystod y cyfnod sefydlu *be* Gofal planhigfeydd coedwig, h.y. cellïoedd neu gnydau a sefydlwyd yn artiffisial, yn ystod y cyfnod sefydlu.

tending during the pre-thicket and thicket stages [trans.] gofal yn ystod y cyfnodau cynddryslwyn a dryslwyn *eg* Y gofalu sy'n digwydd mewn clystyrau cynddryslwyn a dryslwyn (rhai naturiol a rhai sydd wedi'u haildyfu yn artiffisial) i annog datblygiad gwastad coed ac i wella'r ansawdd.

tending objective amcan gofal *eg* amcanion gofal. Deilliant neu ganlyniadau y mae gweithrediadau gofalu, e.e. cynyddu cynnyrch cyfaint neu faint, rheoli cymysgeddau, rheoli'r brigdyfiant, rheoleiddio dosbarthiad dosbarthiadau oed, lleihau risg.

theory of forest rent(al) damcaniaeth rhent coedwigaeth *eb* Cyfrifo (uchafswm) rhent coedwig a'r hyd cylchdro sy'n gysylltiedig â hynny. Rhent coedwig yw'r incwm net cymedrig blynyddol heb ei ddisgowntio o gelli unoed.

theory of soil rent(al) damcaniaeth rhent pridd *eb* Cyfrifo (uchafswm) rhent pridd a'r hyd cylchdro cysylltiedig. Rhent pridd yw cynnyrch ariannol net celli unoed wedi'i drosi i'w gyfwerth mewn incwm blynyddol ar bridd coedwig moel cyn sefydlu'r aildyfu.

theoretical clearfell area ardal llwyrgwympo damcaniaethol *eb* ardaloedd llwyrgwympo damcaniaethol. Ardal coedwig mewn cylch gweithio, sy'n cyfateb i'r toriad blynyddol arferol sy'n cael ei ganiatáu, gan ddefnyddio system reoli llwyr dorri.

thicket stage cyfnod dryslwyn *eg* Cyfnod yn natblygiad celli neu gnwd o ddiwedd y cyfnod cynddryslwyn neu gau'r canopi i ddechrau'r cyfnod hirgyff (bach) *Cyfystyr(on)* sapling stage

thinning teneuo *be* Cwympiad a wnaed mewn cnwd neu gelli anaeddfed yn bennaf er mwyn cyflymu cynyddiad y diamedrau ond hefyd i arbed coed a allai farw, a thrwy ddethol yn briodol, gwella ffurf gyfartalog y coed sydd ar ôl, heb - o leiaf yn ôl cysyniadau clasurol - dorri'r canopi yn barhaol.

thinning cycle cylch teneuo *eg* cylchoedd teneuo. Y cyfnod amser a gynlluniwyd ac sy'n digwydd rhwng pob gweithgaredd teneuo yn yr un gelli.
Cyfystyr(on) thinning interval

thinning frequency amlder teneuo *eg* amlderau teneuo. Cyfwng amser rhwng pob enghraifft o deneuo coed, lle gall y cylch teneuo fod naill ai'n rheolaidd neu'n afreolaidd.

thinning from above teneuo oddi fry *be* Torri coed o'r dosbarthiadau brigdyfiant trechol a chyd-drechol er mwyn ffafrio'r coed gorau yn yr un dosbarthiadau brigdyfiant. *Cyfystyr(on)* high thinning

thinning from below teneuo oddi tanodd *be* Math o deneuo sy'n ffafrio'r coed trechol yn arbennig, neu mewn dwysterau teneuo trymach, coed trechol a ddewiswyd ac sydd wedi'u gwasgaru fwy neu lai'n gyson drwy'r gelli, drwy symud cyfran amrywiol o goed eraill (h.y. symud y coed isdrechol a'r rhai sydd wedi'u hatal). *Cyfystyr(on)* low thinning

thinning grade gradd teneuo *eb* graddau teneuo. Un o'r nifer o raddau traddodiadol o deneuo, yn seiliedig yn ei hanfod ar drechedd, y dosbarthiadau brigdyfiant a chyffion, ac i ba raddau y mae'r dosbarthiadau hyn yn cael eu symud (a'r canopi felly yn cael ei agor) ar unrhyw un teneuad.

thinning intensity dwysedd teneuo *eg* dwyseddau teneuo. Mesuriad o effaith gyfunol pwysau'r teneuo (h.y. y gradd o deneuo yn cael ei fynegi yn nhermau'r arwynebedd gwaelodol, neu'r cyfaint a symudir ar unrhyw un amser) ac amlder y teneuo, o ran y cyfaint neu'r arwynebedd gwaelodol a symudwyd yn ystod unrhyw waith teneuo cyfnodol, weithiau yn cael ei fynegi fel disbyddiad blynyddol cyfartalog y gelli drwy rannu cyfanswm eu pwysau teneuo gyda'r nifer

o flynyddoedd y maent yn eu ymwneud â hwy.

thinning type math teneuo *eg* mathau teneuo. Dosbarthiad teneuo yn ôl y meini prawf a fabwysiadwyd ar gyfer symud neu gadw (e.e. teneuo 'r gwaelod, teneuo o'r brig, teneuo systematig). *Cyfystyr(on)* type of thinning; thinning method

thinning yield cynnyrch teneuo *eg* 1) Fel arfer cynnyrch yr hyn a geir bob blwyddyn wrth deneuo ac o'r cylch teneuo; 2) yn fwy cyffredinol, y cyfaint sy'n cael ei gynaeafu wrth deneuo.

timber coed *ell* Categorïau o ddefnydd gweithgynhyrchu coed solet, ar wahân i goed coed tân a choed pwlp, y gellid ei ddefnyddio ar gyfer lymbar.

timber assortment cymysgedd coed *eg* cymysgeddau coed. Un o'r gwahanol gategorïau, gan mwyaf yn ymwneud â maint, ansawdd a swyddogaeth bosibl, y mae modd dosbarthu pren iddo.

timber form factor ffactor ffurf coed *eb* ffactorau ffurf coed. Ffactor ffurf yn seiliedig ar gyfanswm cyfaint masnachadwy coeden (e.e. cyfaint bob rhan o goeden gyda diamedr 7 cm).

timber harvest cynhaeaf coed *eg* cynaeafau coed. Term llac ar gyfer symud coed o goedwig ar gyfer eu defnyddio; felly yn cynnwys cwympo, ac weithiau prosesu cychwynnol pellach (e.e. diganghennu, croestorri) ac alldynnu. *Cyfystyr(on)* timber harvesting

timber industry diwydiant coed *eg* diwydiannau coed. Y diwydiannau prosesu coed a gweithio coed, gan

gynnwys y fasnach goed. *Cyfystyr(on)*
wood processing industry

timber production cynhyrchu coed *be*
Tyfu defnydd crai yn y goedwig i
ddarparu coed neu bren, drwy osod pridd,
llafur (gan gynnwys rheolaeth) a
chyfalaf. *Cyfystyr(on)* **wood production**

timber reserves coed wrth gefn *ell* 1)
Celli neu gellïoedd sy'n cael eu dal ar
gyfer eu dyrannu a'u defnyddio yn y
dyfodol; 2) yr hyn sy'n weddill o'r
cynyddiad blynyddol ar ôl tynnu'r
cynhaeaf blynyddol, fel arfer ar raddfa
ranbarthol neu genedlaethol; 3) ardal neu
ardaloedd sydd wedi'u gosod o'r neilltu ar
gyfer eu cynnal yn barhaol o dan goed.
Cyfystyr(on) **forest reserves**

timber scaling graddio coed *be*
Gweithdrefn ar gyfer mesur neu
amcangyfrif maint coed sydd wedi'u
cwympo (yn unigol neu gyda'i gilydd) a
choed tân (wedi'i stacio). *Cyfystyr(on)*
scaling of felled timber

timber stage cyfnod coed *eg* Cyfnod
datblygu cnwd, celli neu goedwig, yn
dilyn y cyfnod hirgyff, pan fydd cyfradd
twf taldra yn dechrau arafu ac
ymestyniad y brigdyfiant yn dod yn
nodedig. Weithiau caiff ei isrannu yn
goed bach, coed mawr a choed mawr
iawn. *Cyfystyr(on)* **tree stage**

timber storage storio coed *be* Y
crynodiad o goed wedi'u cwympo maen
lleoliad addas (e.e. landin neu iard goed
ganolog) gyda'r nod o ddidoli a chludo
ymhellach.

timber supply cyflenwad coed *eg*
Darparu coed neu bren i fodloni'r galw.

timber transport cludiant coed *eg*
Symud coed o'r stwmp i'r lleoliad
prosesu neu ddefnyddio. *Cyfystyr(on)*
wood transport

timber value gwerth coed *eg* Gwerth
coed sy'n sefyll, fel y'i mesurir o bris
gwerthiant yn y lleoliad prosesu (h.y. pris
melin lif) minws holl gost sefydlu, rheoli,
cynaeafu a chludo.

timber volume cyfaint coed *eg*
cyfeintiau coed. Ansawdd coed neu bren
o'i fesur mewn termau cyfeintiol, yn
sefyll neu wedi'i gwympo, dros ac o dan
y rhisgl. Fel arfer yn cynnwys yn unig y
dimensiynau masnachadwy.

timberline coedlin *eg* coedlinau.
Estyniad eithaf tuag i fyny twf coedwig
mewn rhanbarthau mynyddig lle mae
estyniad pellach wedi'i atal oherwydd
dylanwadau amgylcheddol, a
hyblygrwydd ffisiolegol. *Cyfystyr(on)*
tree line

time series cyfres amser *eb* Data o un
neu fwy newidyn sydd wedi'u casglu dro
ar ôl tro (bob yn hyn a hyn) dros gyfnod
o amser.

time series analysis dadansoddiad cyfres
amser *eg* Cyflwyno, prosesu a
dadansoddi data cyfres amser, yn rhoi'r
canlyniad o ddangos datblygiad coed,
cellïoedd, cylchoedd gwaith neu unedau
rheoli (dros sawl degawd).

top brig *eg* Pen uchaf eithaf cyff coeden
(sydd wedi'i chwympo). Fel arfer nid
yw'n fasnachadwy oherwydd ei faint
bach, tapr, amlder canghennau neu nam
arall.

top (end) diameter diamedr pen (uchaf) *eg* diamedrau pen (uchaf) 1) Am goeden sy'n sefyll, y diamedr ar uchder masnachadwy, h.y. pen llai y cyff masnachadwy uchaf; 2) am ddarn o bren neu foncyff crwn, y diamedr ar ei ben uchaf (h.y. yr un iau, sydd fel arfer yn deneuach). *Cyfystyr(on)* small end diameter

top height uchder brig *eg* 1) Taldra cyfartalog y cant coeden mwyaf eu diamedr yr hectar; 2) taldra cyfartalog y coed dbh talaf neu fwyaf mewn nifer o leiniau 0.01 ha a ddewiswyd ar hap. *Cyfystyr(on)* height of dominant trees

total production cyfanswm allbwn *eg* Swm holl allbwn cyllidol a deunydd menter goedwigaeth. *Cyfystyr(on)* total output

total tree volume cyfanswm cyfaint pren *eg* cyfansymiau cyfaint pren. Cynnwys ciwbig pren coeden, beth bynnag fo'r cyfyngiadau ar ddiamedr. *Cyfystyr(on)* gross total volume

total yield cyfanswm cynnyrch *eg* Swm cynnyrch terfynol a chynnyrch cyfnod canol. Ar unrhyw amser ym mywyd celli unoed, sy'n cael ei rheoli yn rheolaidd, mae'r cyfanswm cynnyrch yn cyfateb i'w gyfaint sy'n sefyll a hefyd y cyfeintiau a symudwyd mewn toriadau cyfnod canol ers iddo gael ei ffurfio; mae hyn hefyd yn cynrychioli'r cyfanswm cynyddiad net. Gellir ei fynegi fel cyfaint, pwysau, neu mewn termau ariannol. *Cyfystyr(on)* total volume production

transformation trawsffurfio *be* Newid adeiledd coedwig neu gelli. *Cyfystyr(on)* change of species; species conversion

tree coeden *eb* coed 1) Planhigyn lluosflwydd mawr prennaidd sydd ag un cyff a brigdyfiant mwy neu lai pendant; 2) term cyffredinol ar gyfer teuluoedd, genera, rhywogaethau, cyltifarau a mathau sy'n cael eu meithrin o blanhigion prennaidd o fewn yr Angiospermaceae a/neu Gymnospermaceae.

tree class dosbarth coed *eg* dosbarthiadau coed. 1) Unrhyw ddosbarth y gellir rhannu y coed sy'n ffurfio cnwd neu gelli iddo am amryw o ddibenion, e.e. ar gyfer pennu math o deneuo; 2) hefyd y coed sy'n disgyn i ddosbarth o'r fath.

tree damage caused by forest fauna [trans.] difrod coed a achoswyd gan anifeiliaid coedwig *eg* Term cyfun ar gyfer pob math o ddifrod i goed a achosir gan bob anifail (helwriaeth). *Cyfystyr(on)* deer damage

tree distribution dosbarthiad coed *eg* Y dull y mae coed mewn celli neu goedwig wedi'u trefnu dros y darn o dir.

tree form factor ffactor ffurf coeden *eb* ffactorau ffurf coeden. Ffactor ffurf yn cymryd i ystyriaeth gyfanswm cyfaint y goeden, gan gynnwys pren y canghennau.

tree height taldra coeden *eg* taldra coed. Y pellter fertigol rhwng brig eithaf coeden sy'n sefyll (hyd yn oed os mai eginyn llorweddol yw hwn) a lefel y llawr. Ar lethrau, yr argymhelliad rhyngwladol yw bod pwynt daear ar ochr uchaf y goeden yn cael ei ddewis. Gyda choed sy'n gwyro llawer, gellir defnyddio'r hyd i fyny echelin cyff yn lle hynny.

tree marking marcio coed *be* Detholiad a dynodiad, fel arfer drwy ysgythrad, paent, neu forthwyl marcio, ar gyff coeden sydd i gael ei chwympo neu ei chadw. *Cyfystyr(on)* **timber marking**

tree spacing gofod rhwng coed *eg* Y pellter (cyfartalog) rhwng coed nesaf at ei gilydd mewn celli, naill ai adeg ei sefydlu neu ar ôl i'r gelli sy'n datblygu gael ei theneuo. *Cyfystyr(on)* **spacing (between trees); espacement**

tree species rhywogaeth coed *eb* rhywogaethau coed. Grŵp o blanhigion (h.y. coed) sy'n is yn y dosbarthiad tacsonomaidd i genws ac sydd ag aelodau sy'n gallu rhyngfridio (ac sy'n wahanol yn unig mewn manylion bach).

tree volume equation hafaliad cyfaint coeden *eg* hafaliadau cyfaint coeden. Mynegiad mathemategol sy'n dangos cyfaint cyfartalog coeden ar gyfer un neu fwy o ddimensiynau e.e. arwynebedd gwaelodol, dbh, taldra, mewn rhanbarth a phoblogaeth benodol. *Cyfystyr(on)* **volume equation**

Trupp (de) Casgliad bach o goed y mae modd ei adnabod fel un gwahanol i'r cnwd coedwig nesaf ato, sy'n gorchuddio ardal sy'n llai na 0.04 hectar. *Cyfystyr(on)* **small group [trans.]**

tulip-tree coeden diwlip *eb* coed tiwlip *Liriodendron tulipifera*

Turkey oak derwen Twrci *eb* derw Twrci *Quercus cerris*

two-storied stand celli dwy haen *eb* cellïoedd dwy haen. 1) Am gelli sydd â dwy haen canopi amlwg; 2) system goedwriaeth lle mae cnwd rhywogaeth wahanol yn cael ei gyflwyno (h.y. yn artiffisial) o dan gnwd anaeddfed sydd yno eisoes, gyda'r ddau gnwd yn y pen-draw yn cael eu cynaeafu gyda'i gilydd neu'r haen uchaf o flaen yr un isaf.

type of management objective math o amcan rheoli *eg* mathau o amcanion rheoli. Dosbarthiad amcanion rheoli yn ôl meini prawf technegol, coedwriaethol, cymdeithasol, economaidd ac amgylcheddol.

types of ownership mathau o berchnogaeth *ell* Dosbarthiad o dir coedwig yn seiliedig ar y math cyfreithiol o berchnogaeth adeg y stocrestr gyfredol ac fel y'i cynhwyswyd yn y gofrestr tir.

U

understor(e)y isdyfiant *eg* 1) Term llac fel arfer yn cynnwys y gorchudd llysieuol a'r llwyni isaf, a hyd yn oed y coed isaf, dan ganopi coedwig; 2) haen(au) is cnwd coedwig, e.e. cnwd ifanc o dan gnwd sy'n dwyn hadau, prysgoed o dan goed uncyff, neu'r haen is mewn coedwig uchel ddwy haen. *Cyfystyr(on)* **underwood; undergrowth**

understor(e)y management rheolaeth yr isdyfiant *eb* Y rhagnodion coedwriaethol yn canolbwyntio ar y coed (a'r llwyni) yn tyfu dan brif ganopi celli.

uneven-aged management rheoli coed aml-oed *be* Cyfuniad o arferion rheoli ar

gyfer celli neu goedwig, sy'n cynnal
ystod o ddosbarthiadau oed, drwy ddewis
a chynaeafu coed unigol neu grwpiau o
goed.

uneven-aged stand celli aml-oed *eb*
cellïoedd aml-oed. Yn cynnwys coed o
ystod o ddosbarthiadau oed, gyda
gwahaniaethau oed sy'n arwyddocaol
mewn perthynas â rheoli adeiledd
cellïoedd a hyd y cylchdro.

unexploitable forest [neol.] coedwig
anecsbloetadwy *eb* coedwigoedd
anecsbloetadwy. Coedwigoedd lle mae
cyfyngiadau cyfreithiol, economaidd neu
dechnegol ar gynhyrchu coed a gwneud
defnydd arall ohono, am amryw resymau,
megis dosbarth cnydio isel, lleoliad
anghysbell, rheoli erydiad, cadwraeth
natur, etc.

uniform shelterwood system system
coed cysgodol unffurf *eb* System coed
cysgodol lle mae'r canopi yn cael ei agor
yn weddol gyson drwy'r ardal sy'n cael ei
haildyfu. *Cyfystyr(on)* uniform system

uniform stand celli unffurf *eb* cellïoedd
unffurf. Celli gydag adeiledd a
chyfansoddiad homogenaidd.

uniform tariff tariff unffurf *eg* tariffau
unffurf. Offeryn a ddefnyddir i bennu
cyfaint coeden neu gelli unigol, yn
seiliedig ar y diamedr ac wedi'i addasu ar
gyfer gwahanol gymarebau taldra/dbh.

unmanaged forest coedwig heb ei rheoli
eb coedwigoedd heb eu rheoli. Coedwig
nad yw yn cael ei rheoli am amryw o
resymau, e.e. oherwydd dosbarth
cynnyrch isel, anawsterau mynediad.

unregulated felling cwympo heb ei
reoleiddio *be* Cwympiad sydd heb ei
gynnwys yn y cynllun rheoli e.e.
cwympo i arbed.

unstocked area ardal ddi-stoc *eb*
ardaloedd di-stoc. Lle agored o faint go
lew, naill ai naturiol neu artiffisial, ar dir
coedwig. *Cyfystyr(on)* clearing

upland mixed ashwoods coedydd ynn
cymysg yr ucheldir *ell* Coedydd mewn
pridd alcalïaidd yng ngogledd a
gorllewin Prydain, ble mae'r onnen yn
rhywogaeth drech fel rheol er y gall
derw, bedw, y llwyfen, pisgwydd deilen
fach a chyll fod yn niferus hefyd. Maent
ymysg y cynefinoedd bywyd gwyllt
cyfoethocaf yn yr ucheldiroedd, yn
nodedig am arddangosfeydd llachar o
flodau.

upland oakwoods coedydd derw yr
ucheldir *ell* Coedwigoedd ble mae'r
dderwen a'r fedwen drechaf, sydd i'w
cael ledled gogledd a gorllewin Prydain.
Mae'r coedwigoedd hyn yn rhyngwladol
bwysig oherwydd y planhigion a'r
anifeiliaid neilltuol sydd i'w cael
ynddynt ee cennau, rhedyn, mwsoglau a
llysiau'r iau.

utilization defnydd *eg* Symud cynnyrch
coedwig a'i ddefnyddio i bwrpas.

V

value increment cynyddiad gwerth *eg*
cynyddiadau gwerth. Y cynydd yng
ngwerth coed unigol neu gellïoedd yn
ystod cyfnod penodol.

Verjüngungsbestand (de) Celli neu gnwd, lle dylai'r broses aildyfu gael ei chychwyn neu ei pharhau.

Verjüngungsgangzahl (de) Rhif tri digid a ddefnyddir i ddisgrifio'r rhaglen gynaeafu a gynlluniwyd er mwyn i gellïoedd gael eu aildyfu, dros y tair degawd nesaf.

vertical stand structure adeiledd fertigol celli *eg* Trefnu a nodweddu cellïoedd yn ôl ystod a dosbarthiad taldra coed.

veteran tree coeden hynafol *eb* coed hynafol. Coeden sydd, oherwydd ei hoed mawr, ei maint neu'i chyflwr, o werth eithriadol yn ddiwylliannol, yn y dirwedd neu ar gyfer bywyd gwyllt. Hen docbrennau yw llawer o goed hynafol, gan fod yr arfer hwn yn hwyhau oes y goeden.

vigour ymnerth *eg* Perfformiad twf ffisegol gweithredol planhigion neu goed. *Cyfystyr(on)* vigor

virgin forest coedwig wyryfol *eb* coedwigoedd gwyryfol. Coedwig naturiol bron heb unrhyw ddylanwad gan weithgarwch dynol. *Cyfystyr(on)* primary forest

visual or ocular volume estimation amcangyfrif cyfaint â'r llygaid *be* Brasamcanu cyfaint coed sy'n sefyll heb ddefnyddio offer mesur. *Cyfystyr(on)* volume estimation by eye (ball)

vitality bywioldeb *eg* Iechyd a photensial twf coed neu gellïoedd.

volume and increment control methods dulliau rheoli cyfaint a chynyddiad *ell*

Dulliau rheoleiddio cynnyrch, lle mae cynnyrch cynaliadwy yn cael ei gyfrifo o'r cynyddiad, y gwahaniaeth rhwng cyfaint stoc twf go iawn a stoc twf normal, fformiwla a chyfnod addasu, e.e. fformiwla Awstria, fformiwla Hanzlik, fformiwla Kootenai.

volume determination pennu cyfaint *be* 1) Stocrestr a gynlluniwyd yn benodol ac a weithredwyd i gael amcangyfrif o gyfaint coed. 2) Cyfrifo cyfaint coed sy'n sefyll, gan ddefnyddio dbh, taldra a ffactor ffurf, wedi'i amcangyfrif o'r arwynebedd gwaelodol a'r taldra cymedrig neu o'r tablau cynnyrch neu gyfaint. *Cyfystyr(on)* (standing) timber determination; growing stock determination

volume increment cynyddiad cyfaint *eg* cynyddiadau increment. Y cynnydd yng nghyfaint coed unigol neu gellïoedd yn ystod cyfnod penodol.

volume measurement by sections mesuriad cyfaint drwy drychiadau *eg* mesuriadau cyfaint drwy drychiadau. Mesuriad cyfaint boncyff neu gyff drwy fesur a dadansoddi rhannau, lle mae pob un ohonynt yn agos at fod yn fonotonig o ran siâp. *Cyfystyr(on)* scaling by sections; sectional measurement of tree or stem volume

volume table tabl cyfeintiau *eg* tablau cyfeintiau. Tabl yn dangos amcangyfrif o gyfaint cyfartalog coeden neu gelli yn cyfateb i werthoedd a ddewiswyd o newidynnau coed neu gellïoedd haws i'w mesur. Fe'i defnyddir yn yr un ffordd â hafaliad y cyfaint, y mae fel arfer yn cael ei lunio ohono.

volumetric cal(l)ipers caliperau cyfeintiol *ell* Caliperau sy'n dangos cyfaint yn hytrach na diamedr. Mewn stocrestri defnyddir tariffau, wrth fesur boncyffion rhaid cynnwys hyd y boncyffion hynny.

volumetric yield cynnyrch cyfeintiol *eg* Cynnyrch yn cael ei fynegi o ran cyfaint.

W

weeding chwynnu *be* Symud neu atal chwyn o gellïoedd yn y cyfnod eginblanhigion, drwy ddulliau diwylliannol, corfforol neu gemegol.

weighted mean age of a forest [trans.] oed cymedrig pwysol coedwig *eg* Oed cymedrig coedwig, wedi'i bwysoli yn ôl yr ardaloedd lle ceir coed o oed gwahanol.

Weiserformel (de) Fformiwla hanesyddol ar gyfer cyfrifo'r mwyafswm cynnyrch, yn gysylltiedig â damcaniaeth gwerth disgwyliedig tir.

western balsam poplar poplysen falm orllewinol *eb* poplys balm gorllewinol *Populus trichocarpa*

western hemlock hemlog y gorllewin *eg* *Tsuga heterophylla*

western red cedar thwia blethog *eb* thwiâu plethog *Thuja plicata*

wet woodland coetir gwlyb *eg* coetiroedd gwlyb. Coedwigoedd mewn mannau sydd heb ddraeniad da neu fannau corsiog (ee gorlifdiroedd, corsydd, ac ar hyd ochrau nentydd) gyda gwern, helyg a bedw yn brif rywogaethau. Mae'r coedwigoedd hyn yn arbennig o bwysig i bryfed, chwilod, mwsoglau a llysiau'r iau.

white poplar poplysen wen *eb* poplys gwyn *Populus alba*

white willow helygen wen *eb* helyg gwynion *Salix alba*

whitebeam cerddinen wen *eb* cerddin gwynion *Sorbus aria*

wild cherry ceiriosen wyllt *eb* ceirios gwyllt *Prunus avium* **Cyfystyr(on)** gean

wild service tree cerddinen wyllt *eb* cerddin gwylltion *Sorbus torminalis*

wilderness area ardal wyllt *eb* ardaloedd gwyllt. Ardal sydd i gael ei rheoli a'i chadw mewn cyflwr sydd yn ei hanfod gwylltir heb gael ei gyffwrdd.

wildwood coed gwyllt *ell* Term a ddefnyddir i ddisgrifio'r gorchudd coetir naturiol gwreiddiol, a gytrefodd Prydain wedi oes ddiwethaf yr iâ tua 10,000 o flynyddoedd yn ôl ac a gyrhaeddodd ei anterth tua 6,000 o flynyddoedd yn ôl.

wind damage difrod gwynt *eg* 1) Difrod i gelli coedwig drwy dorri (gwynt yn torri) a /neu ddiwreiddio coed (gwynt yn taflu, gwynt yn cwympo; chwythu i lawr); 2) unrhyw effaith negyddol y mae gwynt yn ei gael ar goeden neu gelli. **Cyfystyr(on)** storm damage

wind resistance gwrthiant gwynt *eg* Gallu coed neu gellïoedd i wrthsefyll y grymoedd sy'n gweithio arnynt drwy'r gwynt. **Cyfystyr(on)** windfirm(ness) [USA]

wolf tree coeden aflêr *eb* coed aflêr. Coeden rymus, fel arfer un wael ei ffurf, sy'n cymryd mwy o le nag y mae ei gwerth yn y dyfodol yn ei warantu ac sy'n bygwth cymdogion sydd â'r potensial i fod yn well.

wood 1) pren 2) coed *eg* 1) Y defnydd sy'n cael ei gynhyrchu yng nghoesynnau a changhennau coed a phlanhigion preniog eraill, oddi mewn i'r haen gambiwm; 2) unrhyw ddarn o dir sydd mwy neu lai wedi'i orchuddio â choed, fel arfer llai o faint na choedwig.

wood bank arglawdd coedwig *eg* argloddiau coedwig. Arglawdd a wnaed gan ddyn sy'n ffurfio terfyn coedwig, yn aml wedi'i gyfuno â gwrych neu ffens. Cloddiwyd y rhain yn bennaf i gadw anifeiliaid allan o goetir prysgwydd, i gadw anifeiliaid o fewn porfa goediog neu i'w cadw o fewn tir cyfagos. Mae rhai o'r argloddiau hyn yn enfawr ac mae dim ond eu maint yn arwydd o'r gwerth a roed ar reoli symudiad anifeiliaid pori mewn perthynas â choetir.

wood consumption cymeriant coed *eg* Y defnydd o bren a choed drwy ei ddefnyddio a'i losgi. *Cyfystyr(on)* timber consumption

wood pasture porfa goediog *eb* porfeydd coediog. Coedwigoedd a ddefnyddid yn gynaliadwy ar gyfer pori ble roedd y coed yn cael eu rheoli weithiau drwy frigdocio coed ar gyfer cyflenwad o goed, wedi'i gyfuno â phori anifeiliaid rhwng y coed.

wood procurement caffael coed *eg* Cael hyd i ffynonellau coed a'u cynaeafu i fodloni'r galw'r cwsmer amdanynt (e.e. melin lif, melin pylpio, etc.).

working circle cylch gwaith *eg* cylchoedd gwaith. Ardal (sy'n ffurfio'r cyfan neu ran o ardal cynllun rheoli) sydd wedi'i threfnu ar gyfer un amcan ac o dan un system goedwriaeth ac un set o ragnodau cynllun rheoli. *Cyfystyr(on)* working group [Ca]; operational group [Ca]

wych elm llwyfen lydanddail *eb* llwyfenni llydanddail ***Ulmus glabra***

Y

yield determination mesur cynnyrch *eg* Cyfrifo maint y cynnyrch coedwig y gellir ei gynaeafu yn flynyddol neu o dro i dro, o ardal benodol dros gyfnod penodol, yn fwy uniongyrchol drwy reoleiddio cyfaint, yn llai uniongyrchol drwy reoleiddio arwynebedd, ond hefyd ar sail ystyriaethau cynyddiad, yn unol ag amcanion rheoli (cynnyrch cynaliadwy). *Cyfystyr(on)* yield assessment; yield estimation

yield determination methods dulliau mesur cynnyrch *ell* Dulliau gweithredu, yn aml gan ddefnyddio fformiwlâu, i gyfrifo cynnyrch cynaledig, ar sail naill ai gymharu gyda'r goedwig normal neu'r dull o ddefnyddio rheolydd.

yield determination using harvest percent [trans.] mesur cynnyrch yn defnyddio canran cynhaeaf *eg* Proses cyfrifo cynnyrch, lle mae cymhareb y cynnyrch blynyddol go iawn dros y cynnyrch normal yn hafal i neu yn cael ei

addasu i gymhareb cyfaint stoc tyfu go
iawn dros gyfaint stoc tyfu normal.

yield level lefel cynnyrch *eb* lefelau
cynnyrch. Y gwahaniaethau mewn
cynnyrch crynodol ar gyfer rhywogaeth,
am daldra uchaf ac oed cyfartal.
Cyfystyr(on) production class

yield regulation rheoleiddio cynnyrch *be*
Term llac a ddefnyddir yn gyffredinol i
ddisgrifio pennu'r cynnyrch a'r dulliau
rhagnodol o'i wireddu; yn fwy penodol,
rheoli'r holl gwympo yn ôl math,
ansawdd, maint, lle ac amser.

yield regulation by age classes [trans.]
rheoleiddio cynnyrch yn ôl dosbarthiadau
oed *be* Rheoleiddio cynnyrch tymor hir
yn ôl yr arwynebedd sy'n cael ei dorri, er
mwyn arwain coedwig tuag at gynnyrch
cynaliadwy a normalrwydd, yn seiliedig
ar normaleiddio'r dosbarthiad dosbarth
oed.

yield regulation by area rheoleiddio
cynnyrch fesul ardal *be* Dull
anuniongyrchol o bennu faint o gynnyrch
coedwig ddylid ei gynaeafu, yn flynyddol
neu yn achlysurol, ar sail ardal wedi'i
stocio, gyda'r nod o gynhyrchu coedwig
normal (ar ddiwedd un cylchdro).
Cyfystyr(on) area regulation; area control

yield regulation by diameter classes
rheoleiddio cynnyrch drwy
ddosbarthiadau diamedr *be* Dull
rheoleiddio cynnyrch sy'n defnyddio
dosbarthiadau datblygu yn lle
dosbarthiadau oed i gymharu'r sefyllfa fel
y mae gyda'r sefyllfa ddelfrydol, yn
arbennig mewn coedwig o rywogaethau
cymysg o bob oed. *Cyfystyr(on)* diameter
class regulation

yield table tabl cynnyrch *eg* tablau
cynnyrch. Tabl crynhoi sy'n dangos
datblygiad cynyddol celli ar gyfnodau
ysbeidiol dros y rhan fwyaf o'i bywyd
defnyddiol ar safle penodol. Mae fel arfer
yn cynnwys diamedr ac uchder
cyfartalog, arwynebedd gwaelodol, nifer
y coed, a chynnyrch terfynol (bob un
fesul arwynebedd uned), a gall gynnwys
cyfeintiau o goed wedi'u teneuo a data
arall (fesul arwynebedd uned).

Cymraeg - Saesneg

Welsh - English

A

adeiledd brigdyfiant *eg* **adeileddau brigdyfiant** crown structure

adeiledd celli *eg* stand structure

adeiledd coedwig *eg* **adeileddau coedwig** forest structure

adeiledd fertigol celli *eg* vertical stand structure

adeiledd llorweddol celli *eg* **adeileddau llorweddol celli** horizontal stand structure

adeiledd stoc tyfu *eg* **adeileddau stoc tyfu** growing stock structure

adenillion ariannol o deneuo coed *ell* financial returns from thinnings

adenillion ariannol o'r cwympiad terfynol *ell* financial returns from final felling

adnewyddu coedwig *be* forest renewal

adnoddau coedwig *ell* forest resources

adolygiad cynllun rheoli interim *eg* **adolygiadau cynllun rheoli interim** interim management plan revision

adolygu cynllun rheoli *be* management plan revision

adran *eb* **adrannau** compartment

aeddfedrwydd economaidd *eg* economic maturity

aeddfedrwydd ffisiolegol *eg* physiological maturity

aethnen *eb* **aethnenni** aspen *Populus tremula*

agor allan celli *be* opening-up of a stand

agwedd *eb* aspect

ailblannu *be* replanting

aildyfu *be* regeneration

aildyfu artiffisial *be* artificial regeneration

aildyfu cynnar *be* advance regeneration

aildyfu naturiol *be* natural regeneration

ail-lenwi *be* refilling

alldynnu *be* extraction

amaethgoedwigaeth *eb* agroforestry

amcan coedwriaeth *eg* **amcanion coedwriaeth** silvicultural objective

amcan gofal *eg* **amcanion gofal** tending objective

amcan rheoli *eb* **amcanion rheoli** management objective

amcan rheoli coedwig *eg* **amcanion rheoli coedwig** forest management objective

amcangyfrif celli *be* stand estimation

amcangyfrif cyfaint â'r llygaid *be* visual or ocular volume estimation

amlder teneuo *eg* **amlderau teneuo** thinning frequency

amser cynhyrchu *eg* production time

ansawdd cyffion *eg* stem quality

ansawdd safle *eg* site quality

ardal cynnyrch terfynol *eb* **ardaloedd cynnyrch terfynol** final yield area

ardal ddi-stoc *eb* **ardaloedd di-stoc** unstocked area

ardal dorri *eb* **ardaloedd torri** cutting area

ardal gwympo *eb* **ardaloedd cwympo**
felling area

ardal llwyrgwympo damcaniaethol *eb*
ardaloedd llwyrgwympo damcaniaethol
theoretical clearfell area

ardal lwytho *eb* **ardaloedd llwytho**
loading area

ardal wedi'i llwyrdorri *eb* **ardaloedd**
wedi'u llwyrdorri clearcut area

ardal wyllt *eb* **ardaloedd gwyllt**
wilderness area

arferion rheoli gorau *ell* best
management practices

arglawdd coedwig *eg* **argloddiau**
coedwig wood bank

arolwg lluniau o'r awyr *eg* **arolygon**
lluniau o'r awyr aerial photo(graphic)
survey

arolwg peilot *eg* **arolygon peilot** pilot
survey

arolwg safle *eg* **arolygon safle** site survey

arolwg stocrestr plotiau llinell *eg*
arolygon stocrestri plotiau llinell line-
plot inventory survey

arolygiaeth coedwigoedd *eb* forest
inspectorate

arolygu coedwig *be* forest inspection

arwynebedd gwaelodol *eg*
arwynebeddau gwaelodol basal area

arwynebedd gwaelodol celli *eg*
arwynebeddau gwaelodol celli stand
basal area

arwynebedd tir coedwig *eg* forest land
area

asesiad *eg* **asesiadau** assessment

astudiaeth cynyddiad *eb* **astudiaethau**
cynyddiad increment study

B

bedwen arian *eb* **bedw arian** silver birch
Betula pendula

bedwen gyffredin *eb* **bedw gyffredin**
downy birch *Betula pubescens*

blaenblannu *be* advance planting

bloc *eg* **blociau** block

bloc cyfnodol *eg* **blociau cyfnodol**
periodic block

boncyff *eg* **boncyffion** log

boncyff llifio *eg* **boncyffion llifio** sawlog

bonyn *eg* **bonion** stump

brasamcan *eg* **brasamcanion** rough
estimate

brêc rhag tân *eg* **breciau rhag tân** fire
break

brig *eg* top

brigdocio *be* pollarding

brigdyfiant *eg* **brigdyfiannau** crown

brigyn *eg* **brigau** twig

bryoffytau *ell* bryophytes

buddioldeb ariannol coedwig *eg* forest
profitability

bwlch *eg* **bylchau** blank

bywioldeb *eg* vitality

C

cadair *eb* cadeiriau coppice stool

caead brigdyfiant *eg* crown closure

caffael coed *eg* wood procurement

cangenogrwydd *eg* branchiness

caliperau *ell* cal(l)ipers

caliperau cyfeintiol *ell* volumetric cal(l)ipers

canfod o bell *be* remote sensing

canopi *eg* canopïau canopy

canran cynhaeaf *eb* canrannau cynhaeaf harvest percent

canran cynyddiad *eb* canrannau cynyddiad increment percent

canran twf *eb* canrannau twf growth percent

castanwydden bêr *eb* castanwydd pêr sweet chestnut *Castanea sativa*

castanwydden y meirch *eb* castanwydd y meirch horse chestnut *Aesculus hippocastanum*

cedrwydden Atlas *eb* cedrwydd Atlas Atlas cedar *Cedrus atlantica*

cedrwydden deodar *eb* cedrwydd deodar deodar *Cedrus deodara*

cedrwydden Libanus *eb* cedrwydd Libanus cedar of Lebanon *Cedrus libani*

ceiriosen wyllt *eb* ceirios gwyllt wild cherry *Prunus avium*

ceiriosen yr adar *eb* ceirios yr adar bird cherry *Prunus padus*

celynnen *eb* celyn holly *Ilex aquifolium*

celli *eb* cellïoedd stand

celli aeddfed *eb* cellïoedd aeddfed mature stand

celli afreolaidd *eb* cellïoedd afreolaidd irregular stand

celli aml-haen *eb* cellïoedd aml-haen multi-storied stand

celli dwy haen *eb* cellïoedd dwy haen two-storied stand

celli ddethol *eb* cellïoedd dethol elite stand

celli fynegeiol *eb* cellïoedd mynegeiol index stand

celli had *eb* cellïoedd had seed stand

celli aml-oed *eb* cellïoedd aml-oed uneven-aged stand

celli oraeddfed *eb* cellïoedd goraeddfed overmature stand

celli bur *eb* cellïoedd pur pure stand

celli un haen *eb* cellïoedd un haen single-storied stand

celli unffurf *eb* cellïoedd unffurf uniform stand

celli unoed *eb* cellïoedd unoed even-aged stand

celli weddilliol *eb* cellïoedd gweddilliol residual stand

celli wedi'i stocio'n llawn *eb* cellïoedd wedi'u stocio'n llawn fully stocked stand

cerddinen wen *eb* cerddin gwynion whitebeam *Sorbus aria*

cerddinen wyllt *eb* cerddin gwylltion wild service tree *Sorbus torminalis*

clirio coedwig *be* forest clearing

clirio safle *be* site clearing

cludiant coed *eg* timber transport

cludiant uniongyrchol *eg* direct haulage

cnwd eilaidd *eg* **cnydau eilaidd** dominated crop

cnwd terfynol *eg* **cnydau terfynol** final crop

cnwd trechol *eg* **cnydau trechol** dominant crop

cochwydden arfor *eb* **cochwydd arfor** coast redwood *Sequoia sempervirens*

cochwydden gawraidd *eb* **cochwydd cawraidd** giant sequoia *Sequoiadendron giganteum*

cochwydden gollddail *eb* **cochwydd collddail** swamp cypress *Taxodium distichum*

cochwydden gollddail Tsieineaidd *eb* **cochwydd collddail Tsieineaidd** dawn redwood *Metasequoia glyptostroboides*

cochwydden Japaneaidd *eb* **cochwydd Japaneaidd** Japanese red cedar *Crytomeria japonica*

coed *ell* timber; wood

coed wrth gefn *ell* timber reserves

coed gwyllt *ell* wildwood

coed marw *ell* dead trees

coedeg *eb* silvics

coeden *eb* **coed** tree

coeden afalau surion *eb* **coed afalau surion** crab apple tree *Malus silvestris*

coeden aflêr *eb* **coed aflêr** wolf tree

coeden arwynebedd gwaelodol cymedrig *eb* **coed arwynebedd gwaelodol cymedrig** mean basal area tree

coeden cnwd terfynol *eb* **coed cnwd terfynol** final crop tree

coeden ddethol *eb* **coed dethol** elite tree

coeden diwlip *eb* **coed tiwlip** tulip-tree *Liriodendron tulipifera*

coeden ganolradd *eb* **coed canolradd** intermediate tree

coeden ginco *eb* **coed ginco** maidenhair tree *Ginkgo biloba*

coeden gnau Ffrengig *eb* **coed cnau Ffrengig** common walnut *Juglans regia*

coeden gymedrig *eb* **coed cymedrig** mean tree

coeden hynafol *eb* **coed hynafol** veteran tree

coeden lanw *eb* **coed llanw** filler

coeden lydanddail *eb* **coed llydanddail** broadleaved tree

coeden twf cyfartalog *eb* **coed twf cyfartalog** average growth tree

coeden wych *eb* **coed gwych** plus tree

coediach *eg* slash

coedlan *eb* **coedlannau** copse

coedlin *eg* **coedlinau** timberline

coedwig *eb* **coedwigoedd** forest

coedwig adloniadol *eb* **coedwigoedd adloniadol** recreational forest

coedwig agos at natur *eb* **coedwigoedd agos at natur** near to nature forest

coedwig anecsbloetadwy *eb*
coedwigoedd anecsbloetadwy
unexploitable forest

coedwig arddangos *eb* **coedwigoedd**
arddangos demonstration forest

coedwig arferol *eb* **coedwigoedd arferol**
normal forest

coedwig barc *eb* **coedwigoedd parc** park
forest

coedwig brysgoedio *eb* **coedwigoedd**
prysgoedio coppice forest

coedwig dan reolaeth *eb* **coedwigoedd**
dan reolaeth managed forest

coedwig dan warchodaeth drwy rybudd
swyddogol *eb* **coedwigoedd dan**
warchodaeth drwy rybudd swyddogol
protective forest declared by official notice

coedwig darged *eb* **coedwigoedd targed**
target forest

coedwig ddetholus *eb* **coedwigoedd**
detholus selection forest

coedwig fasnachol *eb* **coedwigoedd**
masnachol commercial forest

coedwig fynydd *eb* **coedwigoedd**
mynydd mountain forest

coedwig gonwydd *eb* **coedwigoedd**
conwydd coniferous forest

coedwig gorchudd di-dor *eb*
coedwigoedd gorchudd di-dor
continuous cover forest

coedwig gymunedol *eb* **coedwigoedd**
cymunedol community forest

coedwig heb ei rheoli *eb* **coedwigoedd**
heb eu rheoli unmanaged forest

coedwig lydanddail *eb* **coedwigoedd**
llydanddail broadleaved forest

coedwig naturiol *eb* **coedwigoedd**
naturiol natural forest

coedwig uchel *eb* **coedwigoedd uchel**
high forest

coedwig warchod *eb* **coedwigoedd**
gwarchod protection forest

coedwig wyryfol *eb* **coedwigoedd**
gwyryfol virgin forest

coedwigaeth *eb* forestry

coedwigaeth fferm *eb* farm forestry

coedwigo *be* afforestation, forestation

coedwigo gyda cheblau *be* cable logging

coedwigoedd strwythuredig iawn *ell*
highly structured forests

coedwriaeth *eb* silviculture

coedydd derw yr ucheldir *ell* upland
oakwoods

coedydd pinwydd Caledonaidd brodorol
ell native Caledonian pinewoods

coedydd ynn cymysg yr ucheldir *ell*
upland mixed ashwoods

coetir cymysg *eg* **coetiroedd cymysg**
mixed woodland

coetir eilaidd *eg* **coetiroedd eilaidd**
secondary woodland

coetir ffawydd-yw yr iseldir *eg*
coetiroedd ffawydd-yw yr iseldir
lowland beech-yew woodland

coetir gwlyb *eg* **coetiroedd gwlyb** wet
woodland

coetir hynafol *eg* **coetiroedd hynafol**
ancient woodland

coetir hynafol ailblanedig *eg* **coetiroedd hynafol ailblanedig** replanted ancient woodland

coetir lled-naturiol *eg* **coetiroedd lled-naturiol** semi natural woodland

coetir llydanddail cymysg yr iseldir *eg* **coetiroedd llydanddail cymysg yr iseldir** lowland mixed broadleaved woodland

coetir primaidd *eg* **coetiroedd primaidd** primary woodland

cofnod celli *eg* **cofnodion celli** stand record

cofnodion rheoli *ell* management records

cofrestr cellïoedd *eb* **cofrestri cellïoedd** stand register

colled cynaeafu *eb* **colledion cynaeafu** harvest loss

collen *eb* **cyll** hazel *Corylus avellana*

conwydden *eb* **conwydd** conifer tree

corswigen *eb* **corswig** guelder rose *Viburnum opulus*

costau cynaeafu *ell* harvesting costs

creithio *be* scarification

creu cronfeydd wrth gefn *be* creation of volume reserve

criafolen *eb* **criafol** rowan *Sorbus aucuparia*

cromlin uchder *eb* **cromliniau uchder** height curve

cromlin uchder safonol *eb* **cromliniau uchder safonol** standard height curve

cromlin uchder/diamedr *eb* **cromliniau uchder/diamedr** height/diameter curve

crynodeb cynnyrch *eb* product summary

culhad uchel *eg* high taper

cwr celli *eg* **cyrion celli** stand edge

cwympo ehangu'r grŵp *be* group advancement felling

cwympo ardal gyfan *be* area-wise felling

cwympo canolradd *be* intermediate felling

cwympo coed aflêr *be* felling of wolf trees

cwympo coed anghyffredin *be* extraordinary felling

cwympo coed cysgodol *be* shelterwood felling

cwympo coed cysgodol cynyddol *be* progressive shelterwood felling/cut(ting)

cwympo cynhaeaf *be* harvest felling

cwympo gwahaniadol *be* severance felling

cwympo gwelliannol *be* improvement felling

cwympo heb ei reoleiddio *be* unregulated felling

cwympo i deneuo copaon y coed *be* overhead release felling

cwympo stribedi *be* strip felling

cwympo stribedi coed cysgodol *be* shelterwood-strip felling

cydgymuned planhigion coedwig *eb* **cydgymunedau planhigion coedwig** forest plant association

cyfaint coed *eg* **cyfeintiau coed** timber volume

cyfaint cwympo *eg* **cyfeintiau cwympo** felling volume

cyfaint cynhaeaf *eg* **cyfeintiau cynhaeaf** harvest volume

cyfaint pren gwerthadwy *eg* **cyfeintiau pren gwerthadwy** merchantable timber volume

cyfalaf coedwig *eg* forest capital

cyfanswm cyfaint pren *eg* **cyfansymiau cyfaint pren** total tree volume

cyfanswm allbwn *eg* total production

cyfanswm cynnyrch *eg* total yield

cyfeiliornad systematig *eg* **cyfeiliornadau systematig** systematic error

cyfeiriad cwympo *eg* felling direction

cyfernod cynyddiad *eg* **cyfernodau cynyddiad** increment coefficient

cyflenwad coed *eg* timber supply

cyflwr coedwig *eg* forest condition

cyflymiad twf *eg* growth acceleration

cyflyrau mewnol coedwig *ell* interior forest conditions

cyfnod *eg* **cyfnodau** period

cyfnod boncyff llifio *eg* sawlog stage

cyfnod coed *eg* timber stage

cyfnod cynllunio *eg* **cyfnodau cynllunio** planning period

cyfnod dryslwyn *eg* thicket stage

cyfnod hirgyff *eg* pole stage

cyfnod rheoleiddio *eg* **cyfnodau rheoleiddio** regulation period

cyfnod sefydlu *eg* **cyfnodau sefydlu** establishment period

cyfnodau datblygu coedwigoedd (naturiol) *ell* development phases of (natural) forests

cyfres amser *eb* time series

cyfres gwympo *eb* **cyfresi cwympo** felling series

cyfwng aildyfu *eg* **cyfyngau aildyfu** regeneration interval

cyfwng ailgoedwigo *eg* reforestation interval

cyff *eg* **cyffion** stem

cyffyn prysgoedio *eg* **cyffion prysgoedio** coppice shoot

cylch cwympo *eg* **cylchoedd cwympo** felling cycle

cylch gwaith *eg* **cylchoedd gwaith** working circle

cylch gweithrediadau trin *eg* **cylchoedd gweithrediadau trin** cycle of tending operations

cylch teneuo *eg* **cylchoedd teneuo** thinning cycle

cylch twf *eg* **cylchoedd twf** growth ring

cylchdro *eg* **cylchdroeon** rotation

cylchdro ariannol *eg* **cylchdroeon ariannol** financial rotation

cylchdro cynnyrch cyfaint mwyaf *eg* **cylchdroeon cynnyrch cyfaint mwyaf** rotation of maximum volume production

cylchdro incwm mwyaf *eg* **cylchdroeon incwm mwyaf** rotation of maximum income

cylchdro llif arian mwyaf *eg* **cylchdroeon llif arian mwyaf** rotation of maximum cash flow

cylchdro technegol *eg* **cylchdroeon technegol** technical rotation

cylchdro y rhent pridd uchaf *eg* **cylchdroeon y rhent pridd uchaf** rotation of the highest soil rent

cylchfesur canol *eg* **cylchfesurau canol** mid-girth

cylchfesur dan y rhisgl *eg* girth under bark

cylchfesur dros y rhisgl *eg* girth over bark

cylchfesur uchder y frest *eg* girth breast height

cyllideb torri *eb* **cyllidebau torri** cutting budget

cymdeithaseg planhigion coedwig *eb* forest plant sociology

cymeriant coed *eg* wood consumption

cymhareb uchder/dbh *eb* **cymarebau uchder/dbh** height/dbh ratio

cymysgedd coed *eg* **cymysgeddau coed** timber assortment

cymysgedd rhywogaethau *eg* species mixture

cymysgeddau gwerth uchel *ell* high value assortments

cynaliadwyedd *eg* sustainability

cyn-ddryslwyn *eg* **cyn-ddryslwyni** prethicket

cynefin *eg* **cynefinoedd** habitat

cynhaeaf coed *eg* **cynaeafau coed** timber harvest

cynhyrchu *be* production

cynhyrchu coed *be* timber production

cynhyrchu ysbeidiol *be* intermittent production

cyniferydd ffurf *eg* **cyniferyddion ffurf** form quotient

cynllun adeiladu ffyrdd coedwig *eg* **cynlluniau adeiladu ffyrdd coedwig** forest road construction plan

cynllun ariannol *eg* **cynlluniau ariannol** financial plan

cynllun drafft *eg* **cynlluniau drafft** draft plan

cynllun gweithrediadau *eg* **cynlluniau gweithrediadau** plan of operations

cynllun gweithrediadau coedwriaeth *eg* **cynlluniau gweithrediadau coedwriaeth** plan of silvicultural operations

cynllun plannu *eg* **cynlluniau plannu** planting plan

cynllun rheoli coedwig *eg* **cynlluniau rheoli coedwig** forest management plan

cynllun stocrestr *eg* **cynlluniau stocrestri** inventory design

cynllunio cynhyrchu *be* production planning

cynllunio defnydd tir coedwig *be* forest land-use planning

cynllunio gweithredol (coedwigaeth) *be* operational (forest) planning

cynllunio rheoli coedwig *be* forest management planning

cynllunio rheoli celli *be* stand management planning

cynlluniwr rheolaeth coedwig *eg* **cynllunwyr rheolaeth coedwig** forest management planner

cynnydd yn y gyfradd twf *eg* increase in growth rate

cynnyrch ategol *eg* accessory product

cynnyrch blynyddol *eg* annual cut

cynnyrch coedwig *eg* forest products

cynnyrch coedwriaethol *eg* silvicultural yield

cynnyrch cyfeintiol *eg* volumetric yield

cynnyrch rhagnodedig *eg* prescribed yield

cynnyrch rhyng-gyfnodol *eg* intermediate yield

cynnyrch teneuo *eg* thinning yield

cynnyrch terfynol *eg* final yield

cynnyrch terfynol *eg* final yield

cynyddiad *eg* **cynyddiadau** increment

cynyddiad ansawdd *eg* **cynyddiadau ansawdd** quality increment

cynyddiad blynyddol crynswth terfynol *eg* **cynyddiadau blynyddol crynswth terfynol** final mean annual increment

cynyddiad blynyddol cyfnodol *eg* **cynyddiadau blynyddol cyfnodol** periodic annual increment

cynyddiad blynyddol cyfredol *eg* **cynyddiadau blynyddol cyfredol** current annual increment

cynyddiad blynyddol cymedrig *eg* **cynyddiadau blynyddol cymedrig** mean annual increment

cynyddiad blynyddol cymedrig cyfnodol *eg* **cynyddiadau blynyddol cymedrig cyfnodol** periodic mean annual increment

cynyddiad coed gwerthadwy *eg* **cynyddiadau coed gwerthadwy** merchantable timber increment

cynyddiad crynswth cymedrig *eg* **cynyddiadau crynswth cymedrig** mean gross increment

cynyddiad cyfaint *eg* **cynyddiadau cyfaint** volume increment

cynyddiad cyfnodol *eg* **cynyddiadau cyfnodol** periodic increment

cynyddiad cyfredol *eg* **cynyddiadau cyfredol** current increment

cynyddiad cylchfesur *eg* **cynyddiadau cylchfesur** girth increment

cynyddiad diamedr *eg* **cynyddiadau diamedr** diameter increment

cynyddiad gwerth *eg* **cynyddiadau gwerth** value increment

cynyddiad taldra ffurf *eg* **cynyddiadau taldra ffurf** form(-)height increment

cypreswydden Eidalaidd *eb* **cypreswydd Eidalaidd** Italian cypress *Cupressus sempervirens*

cypreswydden Lawson *eb* **cypreswydd Lawson** Lawson cypress *Chamaecyparis lawsoniana*

cypreswydden Leyland *eb* **cypreswydd Leyland** Leyland cypress *Cupressocyparis leylandii*

cypreswydden Monterey *eb* **cypreswydd Monterey** Monterey cypress *Cupressus macrocarpa*

cypreswydden Nootka *eb* **cypreswydd Nootka** Nootka cypress *Chamaecyparis nootkatensis*

cysgod brigdyfiant *eg* crown cover

cystadleuaeth brigdyfiant *eb* crown competition

cysylltedd *eg* connectivity

cywiro ffin *be* boundary correction

Ch

chwynnu *be* weeding

D

dadansoddi data stocrestr yn ystadegol *be* statistical analysis of inventory data

dadansoddi cyff *be* stem analysis

dadansoddi cylchoedd blynyddol *be* analysis of annual rings

dadansoddiad cyfres amser *eg* time series analysis

dalgylch *eg* **dalgylchoedd** catchment area

damcaniaeth rhent coedwigaeth *eb* theory of forest rent(al)

damcaniaeth rhent pridd *eb* theory of soil rent(al)

dangosyddion *ell* indicators

darn *eg* **darnau** patch

darnio coedwig *be* forest fragmentation

datblygiad celli *eg* **datblygiad cellïoedd** stand development

datgoedwigo *be* deforestation

dbh cymedrig *eg* median dbh

dbh cymedrig yn ôl rheol 40% (Weise) *eg* mean dbh according to the (Weise's) 40% rule

deddf coedwig *eb* **deddfau coedwig** forest act

deddf gwarchod coedwig *eb* **deddfau gwarchod coedwig** forest protection act

defnydd *eg* utilization

defnydd coedwig *eg* forest use; forest utilization

dosbarthiad defnydd tir *eg* land-use classification

dehongli llun o'r awyr *be* aerial photo interpretation

dendrofesurydd *eg* **dendrofesuryddion** dendrometer

derwen (deilen) ddi-goes *eb* **derw (dail) di-goes** sessile oak *Quercus petraea*

derwen (deilen) goesog *eb* **derw (dail) coesog** common/ pendunculate oak *Quercus robur*

derwen fythwyrdd *eb* **derw bythwyrdd** holm oak *Quercus ilex*

derwen goch *eb* **derw coch** red oak *Quercus rubra*

derwen gorc *eb* **derw corc** cork oak *Quercus suber*

derwen Twrci *eb* **derw Twrci** Turkey oak *Quercus cerris*

dethol naturiol *be* natural selection

diamedr ar uchder brest *eg* diameter at breast height

diamedr canol *eg* **diamedrau canol** mid-diameter

diamedr cymedrig *eg* **diamedrau cymedrig** mean diameter

diamedr cymedrig cwadratig *eg* quadratic mean diameter

diamedr cymedrig rhifyddol *eg* **diamedrau cymedrig rhifyddol** arithmetic(al) mean diameter

diamedr pen (uchaf) *eg* **diamedrau pen (uchaf)** top (end) diameter

diamedr targed *eg* **diamedrau targed** target diameter

didoli boncyffion *be* log sorting

difrod *eg* damage

difrod alldynnu *eg* extraction damage

difrod coed a achoswyd gan anifeiliaid coedwig *eg* tree damage caused by forest fauna

difrod eira *eg* snow damage

difrod gwynt *eg* wind damage

difrod iâ *eg* ice damage

di-gainc *ans* knot-free

digoes *ans* sessile

dinistrio coedwig *be* forest destruction

diraddiad coedwig *eg* forest degradation

dirywiad coedwig *eg* forest decline

disgrifiad celli *eg* **disgrifiadau celli** stand description

disgrifiad safle *eg* **disgrifiadau safle** site description

diwydiant coed *eg* **diwydiannau coed** timber industry

dosbarth (ansawdd) cyffion *eg* stem (quality) class

dosbarth aildyfu *eg* **dosbarthiadau aildyfu** regeneration class

dosbarth brigdyfiant *eg* **dosbarthiadau brigdyfiant** crown class

dosbarth coed *eg* **dosbarthiadau coed** tree class

dosbarth datblygiad celli *eg* **dosbarthiadau datblygiad celli** stand development class

dosbarth diamedrau *eg* **dosbarthiadau diamedrau** diameter class

dosbarth ffurfiau *eg* **dosbarthiadau ffurfiau** form class

dosbarth oed *eg* **dosbarthiadau oed** age class

dosbarth safle *eg* **dosbarthiadau safle** site class

dosbarthiad coed *eg* tree distribution

dosbarthiad diamedrau *eg* **dosbarthiadau diamedrau** diameter distribution

dosbarthiad uned samplu *eg* sampling unit distribution

dosraniad dosbarthiadau oed *eg* age class distribution

dosraniad dosbarthiadau oed normal *eg* normal age class distribution

draenen wen *eb* **draen gwynion** hawthorn *Crataegus monogyna*

draenen wen lefn *eb* **draen gwyn llyfn** Midland hawthorn *Crataegus laevigata*

dull cynaeafu *eg* **dulliau cynaeafu** harvesting method

dull gwerthuso *eg* **dulliau gwerthuso** appraisal method

dull Pressler o bennu uchder *eg* Pressler's method of height determination

dull rheoli *eg* **dulliau rheoli** method of control

dull stocrestru *eg* **dulliau stocrestru** inventory method

dulliau mesur cynnyrch *ell* yield determination methods

dulliau rheoli coedwig anwythol a diddwythol *ell* inductive and deductive forest management methods

dulliau rheoli cyfaint a chynyddiad *ell* volume and increment control methods

dulliau samplu *ell* sampling methods

dwysedd canopi *eg* canopy density

dwysedd celli *eg* **dwyseddau cellïoedd** stand density

dwysedd teneuo *eg* **dwyseddau teneuo** thinning intensity

dyddiad cychwyn cynllun rheoli *eg* **dyddiadau cychwyn cynlluniau rheoli** starting date of a management plan

dyletswydd ailgoedwigo *eb* reforestation duty

E

economeg coedwigaeth *eb* forest economics

ecosystem coedwig *eb* **ecosystemau coedwig** forest ecosystem

ecsbloetadwy *ans* exploitable

ecsbloetiaeth *eb* exploitation

edaffig *ans* edaphic

effaith cyrion *eb* edge effect

eiddew *eg* ivy *Hedera helix*

eithinen *eb* eithin gorse *Ulex spp.*

enw coedwig *eg* **enwau coedwigoedd** forest name

estyniad brigdyfiant *eg* **estyniadau brigdyfiant** crown projection

Ff

ffactor ffurf *eb* **ffactorau ffurf** form factor

ffactor ffurf celli *eb* **ffactorau ffurf celli** stand form factor

ffactor ffurf coed *eb* **ffactorau ffurf coed** timber form factor

ffactor ffurf coeden *eb* **ffactorau ffurf coeden** tree form factor

ffactor ffurf cyff *eb* **ffactorau ffurf cyff** stem form factor

ffactor safle *eb* **ffactorau safle** site factor

ffawydden *eb* **ffawydd** common beech *Fagus silvatica*

ffawydden rauli *eb* **ffawydd rauli** rauli *Nothofagus procera*

ffin adran *eb* **ffiniau adran** compartment boundary

ffin coedwig *eb* **ffiniau coedwig** forest boundary

ffin isadran *eb* **ffiniau isadran** sub-compartment boundary

ffordd bridd *eb* **ffyrdd pridd** earth road

ffordd goedwig *eb* **ffyrdd coedwig** forest road

ffracsiwn samplu *eg* **ffracsiynau samplu** sampling fraction

ffrwythau coed *ell* mast

ffug-acasia *eb* **ffug-acasias** robinia *Robinia pseudoacacia*

ffurf brigdyfiant *eb* **ffurfiau brigdyfiant** crown form

ffurf twf *eb* **ffurfiau twf** growth form

ffurflen gofnodi *eb* **ffurflenni cofnodi** tally sheet

ffwythiant amcan *eg* **ffwythiannau amcan** objective function

ffwythiant twf *eg* **ffwythiannau twf** growth function

ffynidwydden arian *eb* **ffynidwydd arian** silver fir *Abies alba*

ffynidwydden Douglas *eb* **ffynidwydd Douglas** Douglas fir P*seudotsuga menziesii*

ffynidwydden fawr *eb* **ffynidwydd mawr** grand fir *Abies grandis*

ffynidwydden Groeg *eb* **ffynidwydd Groeg** Grecian fir *Abies cephalonica*

ffynidwydden Sbaen *eb* **ffynidwydd Sbaen** Spanish fir *Abies pinsapo*

ffynidwydden urddasol *eb* **ffynidwydd urddasol** noble fir *Abies procera*

G

galw am bren *be* demand for wood

gellygen *eb* **gellyg** common pear *Pyrus communis*

glanhau *be* cleaning

gofal celli *eg* stand tending

gofal yn ystod y cyfnod sefydlu *eg* tending during the establishment stage

gofal yn ystod y cyfnodau cynddryslwyn a dryslwyn *eg* tending during the pre-thicket and thicket stages

gofod plannu *eg* planting space

gofod rhwng coed *eg* tree spacing

gofod tyfu *eg* growing space

gorchudd coedwig y cant *eg* percent forest cover

gorchymyn cadwraeth *eg* **gorchmynion cadwraeth** preservation order

gorchymyn torri *eg* **gorchmynion torri** cutting order

gordorri *be* overcut(ting)

gradd teneuo *eb* **graddau teneuo** thinning grade

graddiant *eg* gradient

graddio boncyffion *be* log grading

graddio coed *be* timber scaling

grucbren *eb* French tamarisk *Tamarix gallica*

gwaharddiad llwyrgwympo *eg* **gwaharddiadau llwyrgwympo** clear fell ban

gwall samplu *eg* **gwallau samplu** sampling error

gwarchod cyrion *be* edge protection

gwarchod tirwedd *be* landscape protection

gwarchodaeth goedwig *eb* forest reserve

gwarchodfa fyw *eb* **gwarchodfeydd byw** standing reserve

gwarchodfa natur genedlaethol *eb* **gwarchodfeydd natur cenedlaethol** national nature reserve

gwarchodfa symudol *eb* **gwarchodfeydd symudol** mobile reserve

gweithredol *ans* operational

gwella pridd *be* soil improvement

gwern *eb* **gwernydd** carr

gwernen (gyffredin) *eb* **gwern (cyffredin)** common alder *Alnus glutinosa*

gwernen lwyd *eb* **gwern llwyd** grey alder *Alnus incana*

gwerth ariannol *eg* financial value

gwerth celli *eg* stand value

gwerth coed *eg* timber value

gwerth coedwig *eg* forest value

gwerth cyfnewid *eg* replacement value

gwerth disgwyliedig pridd *eg* soil expectation value

gwerth disgwyliedig celli *eg* stand expectation value

gwerth i'r dyfodol *eg* future value

gwerth tir *eg* land value

gwerthusiad tir *eg* **gwerthusiadau tir** land appraisal

gwir goedwig *eb* **gwir goedwigoedd** actual forest

gwrthiant gwynt *eg* wind resistance

gwytnwch *eg* resilience

H

had goeden *eg* seed tree

haen brigdyfiant *eb* **haenau brigdyfiant** crown layer

haen llwyni *eb* **haenau llwyni** shrub layer

haen y glaswellt *eb* **haenau'r glaswellt** field layer

haenu *be* stratification

hafaliad cyfaint coeden *eg* **hafaliadau cyfaint coeden** tree volume equation

hanes celli *eg* history of stand

hawl coedwig *eb* **hawliau coedwig** forest right

helygen *eb* **helyg** goat willow *Salix caprea*

helygen frau *eb* **helyg brau** crack willow *Salix fragilis*

helygen wen *eb* **helyg gwynion** white willow *Salix alba*

hemerobi *eg* **hemerobïau** hemeroby

hemlog y gorllewin *eg* western hemlock *Tsuga heterophylla*

hen dyfiant *eg* old growth

hyd cyff *eg* stem length

hypsofesurydd *eg* **hypsofesuryddion** hypsometer

I

iorwg *eg* ivy *Hedera helix*

isadran *eb* **isadrannau** sub-compartment

isadran torri *eb* **isadrannau torri** cutting section

isdyfiant *eg* understor(e)y

L

lefel cynnyrch *eb* **lefelau cynnyrch** yield level

lwfans *eg* **lwfansau** allowance

lwfans rhisgl *eg* bark allowance

Ll

llain reolydd *eb* **lleiniau rheolydd** control plot

llain sampl *eb* **lleiniau sampl** sample plot

llannerch *eb* **llennyrch** clearing; glade

llarwydden Ewropeaidd *eb* **llarwydd Ewropeaidd** European larch *Larix decidua*

llarwydden Japaneaidd *eb* **llarwydd Japaneaidd** Japanese larch *Larix kaempferi*

llawr coedwig *eg* forest floor

lled brigdyfiant *eg* crown width

lleiafswm dbh *eg* minimum dbh

lleoliad mesur *eg* **lleoliadau mesur** measurement location

llwybr natur coedwig *eg* **llwybrau natur coedwig** forest nature trail

llwyfan llwytho *eg* **llwyfannau llwytho** landing

llwyfen *eb* **llwyfenni** English elm *Ulmus procera*

llwyfen lydanddail *eb* **llwyfenni llydanddail** wych elm *Ulmus glabra*

llwyfen wen *eb* **llwyfenni gwynion** European white elm *Ulmus laevis*

llwyrdorri *be* clearcutting

llwyrgwympo stribedi eiledol *be* alternate clear-strip felling

llydanddail *ans* broadleaf

llystyfiant naturiol potensial (coedwig) *eg* potential natural (forest) vegetation

M

maes cyfrifoldeb coedwigaeth *eg* **meysydd cyfrifoldeb coedwigaeth** forest range

maint gofynnol sampl *eg* required sample size

maint sampl *eg* **meintiau sampl** sample size

manteision cymdeithasol coedwigoedd *ell* social benefits of forests

mantell coedwig *eb* **mentyll coedwigoedd** forest mantle

map cellïoedd *eg* **mapiau cellïoedd** stand map

map coedwig *eg* **mapiau coedwig** forest map

map coedwig graddfa fechan *eg* **mapiau coedwig graddfa fechan** small-scale forest map

map ffotograffig *eg* **mapiau ffotograffig** photographic map

map o weithrediadau cynaeafu *eg* **mapiau o weithrediadau cynaeafu** map of harvest operations

map orthoffoto *eg* **mapiau orthoffoto** orthophoto map

map pridd *eg* **mapiau pridd** soil map

map safle *eg* **mapiau safle** site map

map y stent *eg* **mapiau'r stent** cadastral map

mapio biotop coedwig *be* forest biotope mapping

mapio defnydd tir coedwig *be* forest land use mapping

marcio coed *be* tree marking

masarnen *eb* **masarn** sycamore *Acer pseudoplatanus*

masarnen fach *eb* **masarn bach** field maple *Acer campestre*

masarnen Norwy *eb* **masarn Norwy** Norway maple *Acer platanoides*

math o amcan rheoli *eg* **mathau o amcanion rheoli** type of management objective

math o gelli *eg* **mathau o gellïoedd** stand type

math o goedwig *eg* **mathau o goedwigoedd** forest type

math o safle *eg* **mathau o safleoedd** site type

math teneuo *eg* **mathau teneuo** thinning type

mathau o berchnogaeth *ell* types of ownership

medrydd rhisgl *eg* **medryddion rhisgl** bark gauge

meini prawf a dangosyddion *ell* criteria and indicators

meini prawf cynaliadwyedd *ell* sustainability criteria

meithrinfa *eb* **meithrinfeydd** nursery

menter coedwigaeth *eb* **mentrau coedwigaeth** forest enterprise

merywen *eb* **meryw** common juniper *Juniperus communis*

mesobr *eg* **mesobrau** pannage

mesur cynnyrch *eg* yield determination

mesur cynnyrch yn defnyddio canran cynhaeaf *eg* yield determination using harvest percent

mesur oed *eg* age determination

mesuriad *eg* **mesuriadau** mensuration

mesuriad cyfaint drwy drychiadau *eg* **mesuriadau cyfaint drwy drychiadau** volume measurement by sections

mesuriad uchder *eg* **mesuriadau uchder** height determination

mesurydd uchder *eg* **mesuryddion uchder** height meter

metrau ciwbig dan y rhisgl *ell* cubic metres under bark

metrau ciwbig dros y rhisgl *ell* cubic metres over bark

metrau ciwbig pentwr *ell* cubic metres stacked

mewndwf *eg* ingrowth

model (twf) celli *eg* **modelau (twf) celli** stand (growth) model

model coedwig arferol *eg* **modelau coedwig arferol** normal forest model

model twf *eg* **modelau twf** growth model

monitro *be* monitoring

morwydden *eb* **morwydd** common black mulberry *Morus nigra*

mynegai cynhyrchedd *eg* **mynegeion cynhyrchedd** productivity index

mynegai dwysedd celli *eg* **mynegeion dwysedd celli** stand density index

mynegai safle *eg* **mynegeion safle** site index

N

naturioldeb *eg* natural(ness)

neilltuo coed uncyff *be* reserving of standards

nifer y cyffion *eg* number of stems

nod mesur *eg* **nodau mesur** measurement mark

O

oed *eg* age

oed cwympo *eg* felling age

oed cylchdro *eg* rotation age

oed cymedrig pwysol coedwig *eg* weighted mean age of a forest

oed effeithiol *eg* effective age

oestrwydden *eb* **oestrwydd** hornbeam *Carpinus betulus*

olewydden *eb* **olewydd** olive *Olea europea*

olyniaeth *eb* succession

onnen *eb* **ynn** common ash *Fraxinus excelsior*

onnen fanna *eb* **ynn manna** manna ash *Fraxinus ornus*

orthoffotograff *eg* **orthoffotograffau** orthophotograph

P

palmwydden wyntyll *eb* **palmwydd gwyntyll** European fan palm *Chamaerops humilis*

pant llwydrew *eg* **pantiau llwydrew** frost hollow

paramedrau twf *ell* growth parameters

parc *eg* **parciau** park

parsel *eg* **parseli** parcel

parth tyfu *eg* **parthau tyfu** growth zone

pellter alldynnu *eg* extraction distance

pellter halio *eg* **pellterau halio** hauling distance

pennu cyfaint *be* volume determination

pinwydden Aleppo *eb* **pinwydd Aleppo**
Aleppo pine *Pinus halepensis*

pinwydden arfor *eb* **pinwydd arfor**
maritime pine *Pinus pinaster*

pinwydden arola *eb* **pinwydd arola**
arolla pine *Pinus cembra*

pinwydden Chile *eb* **pinwydd Chile**
monkey-puzzle pine *Araucaria araucana*

pinwydden Corsica *eb* **pinwydd Corsica**
corsican pine *Pinus nigra*

pinwydden gamfrig *eb* **pinwydd camfrig**
lodgepole pine *Pinus contorta*

pinwydden gneuog *eb* **pinwydd cneuog**
stone pine *Pinus pinea*

pinwydden Monterey *eb* **pinwydd Monterey** Monterey pine *Pinus radiata*

pinwydden yr Alban *eb* **pinwydd yr Alban** Scots pine *Pinus silvestris*

pisgwydden *eb* **pisgwydd** common lime *Tilia x europaea*

pisgwydden arian *eb* **pisgwydd arian**
silver lime *Tilia tomentosa*

planhigfa *eb* **planhigfeydd** plantation

planhigfa ar safle coetir hynafol *eb* **planhigfeydd ar safle coetir hynafol** plantation on ancient woodland site (PAWS)

planhigion coedwig *ell* forest plants

plannu *be* planting

plannu cydadferol *be* compensatory planting

plannu cyfoethogol *be* enrichment planting

plannu grŵp *be* group planting

plannu integredig *be* integrated planning

planwydden Llundain *eb* **planwydd Llundain** London plane *Platanus x acerifolia*

polisi coedwig *eg* **polisïau coedwig** forest policy

poplysen ddu groesryw *eb* **poplys du croesryw** black Italian poplar *Populus x canadensis var. serotina*

poplysen falm orllewinol *eb* **poplys balm gorllewinol** western balsam poplar *Populus trichocarpa*

poplysen Lombardi *eb* **poplys Lombardi** black poplar *Populus nigra*

poplysen lwyd *eb* **poplys llwyd** grey poplar *Populus canescens*

poplysen wen *eb* **poplys gwyn** white poplar *Populus alba*

porfa goediog *eb* **porfeydd coediog** wood pasture

pren *eg* wood

pren canghennau *eg* branchwood

pren crwn *eg* round wood

pren ifanc *eg* juvenile wood

prennau pwll (glo) *ell* mining timber

pridd coedwig *eg* forest soil

prif gnwd *eg* **prif gnydau** main crop

prif gymysgedd *eg* **prif gymysgeddau** main assortment

prif rywogaeth *eb* **prif rywogaethau** main species; principle species

pris coed sy'n sefyll *eg* stumpage

prisiant coedwig *eg* forest valuation

proffil celli *eg* **proffiliau cellïoedd** stand profile

prysglwyn *eg* **prysglwyni** scrub stand

prysgoed gyda choed uncyff *ell* **prysgoedydd gyda choed uncyff** coppice with standards

prysgoedio *be* coppice

R

realsgop *eg* **realsgopau** relascope

RH

rhafnwydden wernaidd *eb* **rhafnwydd gwernaidd** alder buckthorn *Frangula alnus*

rhafnwydden y môr *eb* **rhafnwydd y môr** sea buckthorn *Hippophae rhamnoides*

rhagnodiadau rheoli *ell* management prescriptions

rhagolwg *eg* **rhagolygon** forecast

rhanbarth coedwig *eg* **rhanbarthau coedwig** forest district; forest region

rhanbarth twf *eg* **rhanbarthau twf** growth region

rhent coedwig *eg* **rhenti coedwig** forest rent(al)

rhent pridd *eg* **rhenti pridd** soil rent(al)

rheolaeth coedwig *eb* forest management

rheolaeth coedwig gynaliadwy *eb* sustainable forest management

rheolaeth coedwig un goeden *eb* single tree forest management

rheolaeth cynnyrch cynaliadwy *eb* sustained-yield management

rheolaeth defnydd lluosog *eb* multiple-use management

rheolaeth ecsbloetio *eb* exploitation management

rheolaeth grŵp *eb* group management

rheolaeth torri *eb* cutting control

rheolaeth twf rhydd *eb* free growth management

rheolaeth yr isdyfiant *eb* understor(e)y management

rheoleiddio arwynebedd gwaelodol *be* basal area regulation

rheoleiddio cynnyrch *be* yield regulation

rheoleiddio cynnyrch cynaliadwy *eg* sustained yield regulation

rheoleiddio cynnyrch drwy ddosbarthiadau diamedr *be* yield regulation by diameter classes

rheoleiddio cynnyrch fesul ardal *be* yield regulation by area

rheoleiddio cynnyrch yn ôl dosbarthiadau oed *be* yield regulation by age classes

rheoli *be* control

rheoli busnes *be* business management

rheoli addasol *be* adaptive management

rheoli celli *be* stand management

rheoli coedwigaeth risg bach *be* low-risk forest management

rheoli cymysgedd *be* control of mixture

rheoli cynaeafu *be* harvest management

rheoli cynnyrch coedwig *be* control of forest production

rheoli ecosystem *be* ecosystem management

rheoli gweithrediadau *be* control of operations

rheoli maes cyfrifoldeb *be* range management

rheoli coed aml-oed *be* uneven-aged management

rheoli coed unoed *be* even-aged management

rheoli planhigfa *be* plantation management

rheoli tirwedd *be* landscape management

rheolydd rhagnodiadau *eg* **rheolyddion rhagnodiadau** control of prescriptions

rhif gofodi *eg* **rhifau gofodi** spacing number

rhifiad *eg* **rhifiadau** enumeration

rhifiad cyflawn *eg* **rhifiadau cyflawn** complete enumeration

rhisglo *be* peeling

rhodfa *eb* **rhodfeydd** ride

rhwydwaith ffyrdd *eg* **rhwydweithiau ffyrdd** road network

rhyngwasgaru *be* interspersion

rhywogaeth arloesol *eb* **rhywogaethau arloesol** pioneer species

rhywogaeth coed *eb* **rhywogaethau coed** tree species

rhywogaeth eilaidd *eb* **rhywogaethau eilaidd** secondary species

rhywogaeth feithrinol *eb* **rhywogaethau meithrinol** nurse species

rhywogaethau coed brodorol *ell* native tree species

rhywogaethau cysylltiedig *ell* associated species

rhywogaethau dynodol *ell* indicator species

S

sadrwydd *eg* stability

safle *eg* **safleoedd** site

safle arbrofol *eg* **safleoedd arbrofol** experimental site

Safle o Ddiddordeb Gwyddonol Arbennig (SoDdGA) *eg* **Safleoedd o Ddiddordeb Gwyddonol Arbennig** Site of Special Scientific Interest (SSSI)

sampl *eg* **samplau** sample

sampl haenedig *eb* **samplau haenedig** stratified sample

samplu amlwedd *be* multiphase sampling

samplu ardal sefydlog *be* fixed area sampling

samplu clystyrau *be* cluster sampling

samplu cyfrannol *be* proportional sampling

samplu pwyntiau *be* point sampling

samplu rhestr *be* list sampling

samplu *be* sampling

samplu gan ddefnyddio ystod o leiniau radiws sefydlog *be* sampling using a range of fixed radius plots

samplu systematig *be* systematic sampling

sbarion coed *ell* cull

sbriwsen Norwy *eb* **sbriws Norwy** Norway spruce *Picea abies*

sbriwsen Sitka *eb* **sbriws Sitka** Sitka spruce *Picea sitchensis*

sadrwydd *eg* stability

sadrwydd celli *eg* stand stability

sefydlogrwydd *eg* stability

sefydlu *be* establishment

sefydlu celli *be* establishment of a stand

stad coedwig *eb* **stadau coedwig** forest estate

stiwardiaeth coedwig *eb* forest stewardship

stoc tyfu *eg* growing stock

stoc tyfu arferol *eg* **stociau tyfu arferol** normal growing stock

stoc tyfu targed *eg* **stociau tyfu targed** target growing stock

stocio *be* stocking

stocio arferol *be* normal stocking

stocrestr *eb* **stocrestri** inventory

stocrestr coed sy'n tyfu *eb* **stocrestri coed sy'n tyfu** inventory of growing stock

stocrestr gyfnodol *eb* **stocrestri cyfnodol** periodic inventory

stocrestr coedwig ddi-dor *eb* **stocrestri coedwig ddi-dor** continuous forest inventory

stocrestr coedwig ddi-dor gyda samplau newidiol *eb* **stocrestri coedwig ddi-dor gyda samplau newidiol** continuous forest inventory with changing samples

stocrestr coedwig ddi-dor gyda samplau parhaol *eb* **stocrestri coedwig ddi-dor gyda samplau parhaol** continuous forest inventory with permanent samples

stocrestr yn ôl lleiniau sampl *eb* **stocrestri yn ôl lleiniau sampl** inventory by sample plots

stoctrestr coedwig *eb* **stocrestri coedwig** forest inventory

storio coed *be* timber storage

stratwm *eg* **strata** stratum

stribed coedwig *eg* **stribedi coedwig** forest belt

stribed cysgodi *eg* **stribedi cysgodi** shelterbelt

strimyn gwarchod *eg* **strimynnau gwarchod** protection belt

system awyrgeblau *eb* **systemau awyrgeblau** skyline system

system brysgoedio syml *eb* simple coppice system

system coed cysgodol *eb* shelterwood system

system coed cysgodol grŵp *eb* group shelterwood system

system coed cysgodol unffurf *eb* uniform shelterwood system

system coedwig uchel gyda choed wrth gefn *eb* high forest with reserves system

system coedwig uchel *eb* **systemau coedwig uchel** high forest system

system cwympo stribedi *eb* strip felling system

system ddetholus *eb* selection system

system dethol grŵp *eb* group selection system

system dethol prysgoedio *eb* coppice selection system

system geblau *eb* **systemau ceblau** cable system

system goedwriaethol *eb* **systemau coedwriaethol** silvicultural system

system gwympo stribed a grŵp *eb* strip-and-group felling system

system lletem coed cysgodol *eb* shelterwood wedge system

system llwyrdorri *eb* **systemau llwyrdorri** clearcutting system

system prysgoed gyda system coed uncyff *ell* coppice with standards system

T

tabl arwynebeddau gwaelodol *eg* **tablau arwynebeddau gwaelodol** table of basal areas

tabl cyfeintiau *eg* **tablau cyfeintiau** volume table

tabl cymysgeddau *eg* **tablau cymysgeddau** assortment table

tabl cynnyrch *eg* **tablau cynnyrch** yield table

tabl cynnyrch cymysgeddau *eg* **tablau cynnyrch cymysgeddau** assortment yield table

tabl cynnyrch lleol *eg* **tablau cynnyrch lleol** local yield table

tabl cynyddiadau *eg* **tablau cynyddiadau** increment table

tabl dosraniad dosbarthiadau oed *eg* **tablau dosraniad dosbarthiadau oed** age class distribution table

tabl prisiau *eg* **tablau prisiau** tariff table

taldra coeden *eg* **taldra coed** tree height

taldra ffurf *eg* form height

tapr *eg* **taprau** taper

targed aildyfu *eg* **targedau aildyfu** regeneration target

targed cynhyrchu *eg* **targedau cynhyrchu** production target

tariff unffurf *eg* **tariffau unffurf** uniform tariff

teneuo *be* thinning

teneuo brigdyfiant *be* crown thinning

teneuo cynyddiad *be* increment thinning

teneuo dethol *be* selective thinning

teneuo masnachol *be* commercial thinning

teneuo oddi fry *be* thinning from above

teneuo oddi tanodd *be* thinning from below

terfyn diamedr *eg* **terfynau diamedr** diameter limit

tir coedwig anghynhyrchiol *eg* **tiroedd coedwig anghynhyrchiol** non-productive forest land

tir coedwig cynhyrchiol *eg* **tiroedd coedwig cynhyrchiol** productive forest land

tirwedd *eb* **tirweddau** relief

tocio *be* pruning

tocio naturiol *be* natural pruning

toriad a ganiateir *eg* **toriadau a ganiateir** allowable cut

toriad terfynol *eg* **toriadau terfynol** final cutting

torri arbedol *be* salvage cutting

torri detholiad *be* selection cutting

torri detholus *be* selective cut(ting)

torri i aildyfu *be* regeneration cut(ting)

torri i hadu *be* seed cutting

torri iachusol *be* sanitation cutting

torri paratoadol *be* preparatory cut(ting)

torri coed cysgodol cynyddol *be* progressive shelterwood cut(ting)

trac alldynnu *eg* **traciau alldynnu** extraction rack

trawsffurfio *be* transformation

trefn *eb* order

trefn dymhorol *eb* temporal order

trefn ofodol *eb* spatial order

trefn torri *eb* cutting sequence

tresi aur *ell* common laburnum *Laburnum anagyroides*

treth coedwig *eb* **trethi coedwig** forest taxation

trin cyflawn *be* complete cultivation

triongli llun o'r awyr *be* aerial photo triangulation

trosgoed *ell* overwood

troshaen *eb* **troshaen** overstor(e)y

trosiad *eg* **trosiadau** conversion

twf uchder *eg* height growth

tyfu uncnwd *be* monoculture

tyllwr cynyddiad *eg* **tyllwyr cynyddiad** increment borer

tymor cwympo *eg* **tymhorau cwympo** felling season

tystysgrif tarddiad *eb* **tystysgrifau tarddiad** certificate of origin

tystysgrifo *be* certification

tystysgrifo had *be* seed certification

Th

thwia blethog *eb* **thwiâu plethog** western red cedar *Thuja plicata*

U

uchder brig *eg* top height

uchder cyfartalog (celli) *eg* average (stand) height

uchder cymedrig *eg* median height

uchder cymedrig Lorey *eg* Lorey's mean height

uchder cymedrig rhifyddol *eg* arithmetic(al) mean height

uchder y frest *eg* breast height

uchder yn ôl y rheol 40% *eg* height
according to the 40% rule

uned cynllunio rheoli *eb* **unedau
cynllunio rheoli** management planning
unit

uned rheoli coedwig *eb* **unedau rheoli
coedwig** forest management unit

uned samplu *eb* **unedau samplu**
sampling unit

ymchwil gweithredol *eg* operational
research

ymnerth *eg* vigour

ymyl coedwig *eb* **ymylon coedwig** forest
edge

ysgawen *eb* **ysgaw** elder *Sambucus nigra*

ywen *eb* **yw** common yew *Taxus baccata*

MYNEGAI LLADIN

Abies alba **ffynidwydden arian** silver fir

Abies cephalonica **ffynidwydden Groeg** Grecian fir

Abies grandis **ffynidwydden fawr** grand fir

Abies pinsapo **ffynidwydden Sbaen** Spanish fir

Abies procera **ffynidwydden urddasol** noble fir

Acer campestre **masarnen fach** field maple

Acer platanoides **masarnen Norwy** Norway maple

Acer pseudoplatanus **masarnen** sycamore

Aesculus hippocastanum **castanwydden y meirch** horse chestnut

Alnus glutinosa **gwernen (gyffredin)** common alder

Alnus incana **gwernen lwyd** grey alder

Araucaria araucana **pinwydden Chile** monkey-puzzle / Chile pine

Betula pendula **bedwen arian** silver birch

Betula pubescens **bedwen gyffredin** downy birch

Carpinus betulus **oestrwydden** hornbeam

Castanea sativa **castanwydden bêr** sweet chestnut

Cedrus atlantica **cedrwydden Atlas** Atlas cedar

Cedrus deodara **cedrwydden deodar** deodar

Cedrus libani **cedrwydden Libanus** cedar of Lebanon

Chamaecyparis lawsoniana **cypreswydden Lawson** Lawson cypress

Chamaecyparis nootkatensis **cypreswydden Nootka** Nootka cypress

Chamaerops humilis **palmwydden wyntyll** European fan palm / dwarf fan palm

Corylus avellana **collen** hazel

Crataegus laevigata **draenen wen lefn** Midland hawthorn

Crataegus monogyna **draenen wen** hawthorn / quickthorn

Crytomeria japonica **cochwydden Japaneaidd** Japanese red cedar

Cupressocyparis leylandii **cypreswydden Leyland** Leyland cypress

Cupressus macrocarpa **cypreswydden Monterey** Monterey cypress

Cupressus sempervirens **cypreswydden Eidalaidd** Italian cypress

Fagus silvatica **ffawydden** common beech

Frangula alnus **rhafnwydden wernaidd** alder buckthorn

Fraxinus excelsior **onnen** common ash

Fraxinus ornus **onnen fanna** manna ash

Ginkgo biloba **coeden ginco** maidenhair tree

Hedera helix **iorwg / eiddew** ivy

Hippophae rhamnoides **rhafnwydden y môr** sea buckthorn

Ilex aquifolium **celynnen** holly

Juglans regia **coeden gnau Ffrengig** common walnut

Juniperus communis **merywen** common juniper

Laburnum anagyroides **tresi aur** common laburnum

Larix decidua **llarwydden Ewropeaidd** European larch

Larix kaempferi **llarwydden Japaneaidd** Japanese larch

Liriodendron tulipifera **coeden diwlip** tulip-tree

Malus silvestris **coeden afalau surion** crab apple tree

Metasequoia glyptostroboides **cochwydden gollddail Tsieineaidd** dawn redwood

Morus nigra **morwydden** common black mulberry

Nothofagus procera **ffawydden rauli** rauli (southern beech)

Olea europea **olewydden** olive

Picea abies **sbriwsen Norwy** Norway spruce

Picea sitchensis **sbriwsen Sitka** Sitka spruce

Pinus cembra **pinwydden arola** arolla pine

Pinus contorta **pinwydden gamfrig** lodgepole pine

Pinus halepensis **pinwydden Aleppo** Aleppo pine

Pinus nigra **pinwydden Corsica** corsican pine

Pinus pinaster **pinwydden arfor** maritime pine

Pinus pinea **pinwydden gneuog** stone pine

Pinus radiata **pinwydden Monterey** Monterey pine

Pinus silvestris **pinwydden yr Alban** Scots pine

Platanus x acerifolia **planwydden Llundain** London plane

Populus alba **poplysen wen** white poplar

Populus canescens **poplysen lwyd** grey poplar

Populus nigra **poplysen Lombardi** black poplar

Populus tremula **aethnen** aspen

Populus trichocarpa **poplysen falm orllewinol** western balsam poplar

Populus x canadensis var. serotina **poplysen ddu groesryw** black Italian poplar

Prunus avium **ceiriosen wyllt** wild cherry / gean

Prunus padus **ceiriosen yr adar** bird cherry

Pseudotsuga menziesii **ffynidwydden Douglas** Douglas fir

Pyrus communis **gellygen** common pear

Quercus cerris **derwen Twrci** Turkey oak

Quercus ilex **derwen fythwyrdd** holm oak

Quercus petraea **derwen (deilen) ddi-goes** sessile oak

Quercus robur **derwen (deilen) goesog** common / pedunculate oak

Quercus rubra **derwen goch** red oak

Quercus suber **derwen gorc** cork oak

Robinia pseudoacacia **ffug-acasia** robinia

Salix alba **helygen wen** white willow

Salix caprea **helygen** goat willow / sallow

Salix fragilis **helygen frau** crack willow

Sambucus nigra **ysgawen** elder

Sequoia sempervirens **cochwydden arfor** coast redwood

Sequoiadendron giganteum **cochwydden gawraidd** giant sequoia / Wellingtonia

Sorbus aria **cerddinen wen** whitebeam

Sorbus aucuparia **criafolen** rowan

Sorbus torminalis **cerddinen wyllt** wild service tree

Tamarix gallica **grucbren** French tamarisk

Taxodium distichum **cochwydden goliddail** swamp cypress

Taxus baccata **ywen** common yew

Thuja plicata **thwia blethog** western red cedar

Tilia tomentosa **pisgwydden arian** silver lime

Tilia x europaea **pisgwydden** common lime

Tsuga heterophylla **hemlog y gorllewin** western hemlock

Ulex spp. **eithinen** gorse

Ulmus glabra **llwyfen lydanddail** wych elm

Ulmus laevis **llwyfen wen** European white elm

Ulmus procera **llwyfen** English elm

Viburnum opulus **corswigen** guelder rose